JN056668

姫君の世界史

エリザベートと黄昏のハプスブルク帝国

小宮正安

Masayasu Komiya

ELISABETH
and Habsburg Empire of twilight

創元社

はじめに

二つの顔を持つ皇后

人間は、しばしば二つの顔を持っている。表向きの、誰もが「この人だ」と思っているイメージ通りの顔。そして裏向きの、めったに人には見せない、あるいは自分でも見たくない顔。多くの場合、その人にとっての真実の「私」は、裏側の顔にこそあると、往々にして考えられがちである。

一方、当人の意志とは裏腹に、裏向きの顔が否応なく世間にさらされてしまう場合もある。その例が、死者の顔をかたどったデスマスクだ。

それでも、やはり死に顔を綺麗にしてあげたい、さらには当人の生前のイメージを傷つけぬようにという配慮から、デスマスクの整形が行われる場合がある。そうなると、二つの異なるデスマスクが残される。表向きの死に顔と裏向きの死に顔である。当の死者が、生前に二つの顔を使い分けていたのと同様の状況にほかならない。

そんな二つの異なるデスマスクを遺(のこ)した人が、この本の主人公エリザベートだ。一八九八年にジュネーヴで暗殺された後、当時の慣習に従って、彼女のデスマスクが作られた。デスマスクの一つは、エリザベートの愛称「シシィ」を冠したシシィ博物館でお目にかかれる。この博物館は、ウィーン観光のハイライトであり、彼女が輿入れをした、かつてのハプスブルク家の王宮内にある。なるほど、宮殿の雅を極めた雰囲気に溶け込んだかのように、デスマスクも雅やかな表情を湛えている。美貌の皇后と呼ばれた人物だけはあって、六一歳を目前に控えていた女性とは思えない、少女のようなあどけなさをとどめている。彼女が愛したギリシアの遺跡から発掘されるマスクを彷彿させる高貴さや優美さも具わっている。

だがこのデスマスクが制作されたのは、一九〇〇年のこと。エリザベートの死から二年の月日が経っている。彼女の棺を開けて、その死に顔を改めて採取したわけではない。実はすでにあったデスマスクを元に、フランツ・マッチュという彫刻家が改めて「制作」したものである。つまりそれは、マッチュの美意識や創造といったフィクションの要素が入った作品なのだ。

一方、元のデスマスクは、まさに六一歳に手が届こうかという人物相応のものだ。労苦が絶えなかった彼女の生涯を彷彿させるかのように、表情は険しい。長年にわたる苦悩や煩悶の跡がにじみ出ている。晩年のエリザベートが、人前で決して顔を見せようとしなかったエピソードを彷彿させる表情だ。こちらの方が彼女の死に顔に近いものなのだろう。

「私」を生きることの難しさ

このように書くと、生前は人前ではついぞさらされることのなかったエリザベートの「裏の顔」に肉薄する内容を、この本に期待されるかもしれない。

確かにエリザベートは、単なる「美貌の皇妃」にとどまらなかった。時に古めかしい宮廷のしきたりに新風をもたらした。世間一般に考えられていた皇妃の務めのあり方を一新した。外交的にも内政的にも、それまで当然のように受け継がれてきた帝国の姿勢に大きな変化を生んだ。つまり彼女は、「裏の顔」と密接に結びつく「私」を原動力に、唯一無二の伝説的な存在となった。まるで、ミュージカル『エリザベート』のヒットナンバー「私だけに――」、ドイツ語の原題を直訳すると「私は私だけのもの」のように。

だが著者としては、そんなエリザベートの「裏の顔」のみに注目したくはない。むしろ彼女の「裏の顔」に時折触れながらも、その「表の顔」に着目していきたいのである。

エリザベートは、それこそ「美と知の化身」のような皇后だった。だからこそ、彼女の嫁ぎ先であったハプスブルク家の帝国は、満身創痍(まんしんそうい)の状況にありながらも、一九世紀後半の難しい時代を辛うじて乗り越えた。逆にそのようなエリザベートの「表の顔」がなければ、たとえばハプスブルク家のお膝元であるウィーンを中心に形作られた芸術文化の爛熟も、同家の帝国の奇跡的な存続もなかったかもしれない。

そうでなくてもエリザベート自身、人一倍、表の顔にこだわった。年齢を重ねてから絶対にその素顔を写真に撮らせなかったのは、そのためである。つまり彼女は、若き日に公開された表の顔にこだわり続けた。「裏の顔」を多数持ち、また時にそれにふさわしい生き方を選びながらも、「表の顔」にも執着した。

さらに、エリザベートもまた時代の中を生きた人間だった。自由への強烈な渇望、美への意識、放浪の旅……。エリザベートの特徴として言われている数々の事象は、彼女が生涯を送った一九世紀だから起こり得たことだった。そしてこの時代背景を後ろ盾に、彼女の「裏の顔」はもちろんのこと、「表の顔」もまた形作られていったのである。

一九世紀という時代に多大な影響を与えつつ、同時に時代の多くの影響を受けながら、六〇年あまりの生涯を駆け抜けたエリザベート。そんな視点から彼女の人生を眺めてみよう。その時きっと、エリザベートが腐心した「表の顔」、あるいはその対極にある「裏の顔」だけにとどまらない「時代の顔」が見えてくる。そしていくつもの「顔」を持ってしまったがゆえに、「私」とは何か、さらには「私」をいかに生きればよいのか、という難しさに直面し続けた一人の人間の姿が浮き彫りになって来る。

はじめに

デンマーク
コペンハーゲン
リトアニア
ヴィリニュス
ロシア
ミンスク
ベラルーシ
ポーランド
オランダ
アムステルダム
ベルリン
ワルシャワ
ブリュッセル
ベルギー
キーウ
プラハ
ドイツ
チェコ
ブラチスラバ
ウクライナ
ルクセンブルク
スロヴァキア
ウィーン
モルドヴァ
ブダペスト
ハンガリー
オーストリア
キシニョフ
ベルン
スイス
ブラチスラバ
ルーマニア
スロヴェニア
ザグレブ
セルビア
クロアチア
ボスニア・
ヘルツェゴビナ
ベオグラード
ブカレスト
イタリア
サラエヴォ
黒海
ソフィア
ブルガリア
ポドゴリツァ
スコピエ
ローマ
モンテネグロ
北マケドニア
ティラナ
アンカラ
ギリシア
トルコ
アテネ
アルバニア
地中海
エジプト
1
2
3
4
5
6
7
8
9
10
11
12
13
14
15
16
17
18
19
20
21
22
23
24
25
26
27
31
32
42

エリザベートゆかりの地・訪問地
オーストリア
1 ウィーン
ホーフブルク王宮（本拠地）
ラクセンブルク城（新婚旅行地）
ヘルメス・ヴィラ
シェーンブルン宮殿
2 バート・イシュル
カイザー・ヴィラ
3 ザルツブルク
4 ライヒェナウ・アン・デア・ラックス
5 バート・ガスタイン
6 インスブルック
ドイツ
7 ポッセンホーフェン城
8 ミュンヘン
9 テーゲルンゼー
10 バート・キッシンゲン
11 ドレスデン
12 ノイベルク
ハンガリー
13 ブダペスト
マーチャーシュ教会（戴冠式）
14 ゲデレー宮殿
チェコ
15 クロムニュジーシュ
ルーマニア
16 ペレシュ城
ギリシア
17 アテネ
18 コルフ島
アキレイオン（白亜の館）
イタリア
19 トリエステ
20 メラーノ
21 ヴェネツィア
22 ミラノ
23 サンレモ
24 ローマ
フランス
25 コルシカ島
26 ログリュヌ＝カプ・マルタ
27 マルセイユ
28 ビアリッツ
29 パリ
30 サセット・ル・モコンドゥイ
スイス
31 ジュネーヴ
32 チューリヒ
イギリス
33 ロンドン
34 ベルヴォアール城
35 ワイト島
アイルランド
36 サマーヒル
スペイン
37 セビリャ
38 カディス
39 マヨルカ島
ポルトガル
40 マデイラ島
アルジェリア
41 アルジェ
エジプト
42 カイロ
アイルランド
ダブリン
イギリス
ロンドン
パリ
フランス
アンドラ・ラ・ヴェリャ
アンドラ
ポルトガル
マドリード
スペイン
リスボン
アルジェリア
モロッコ

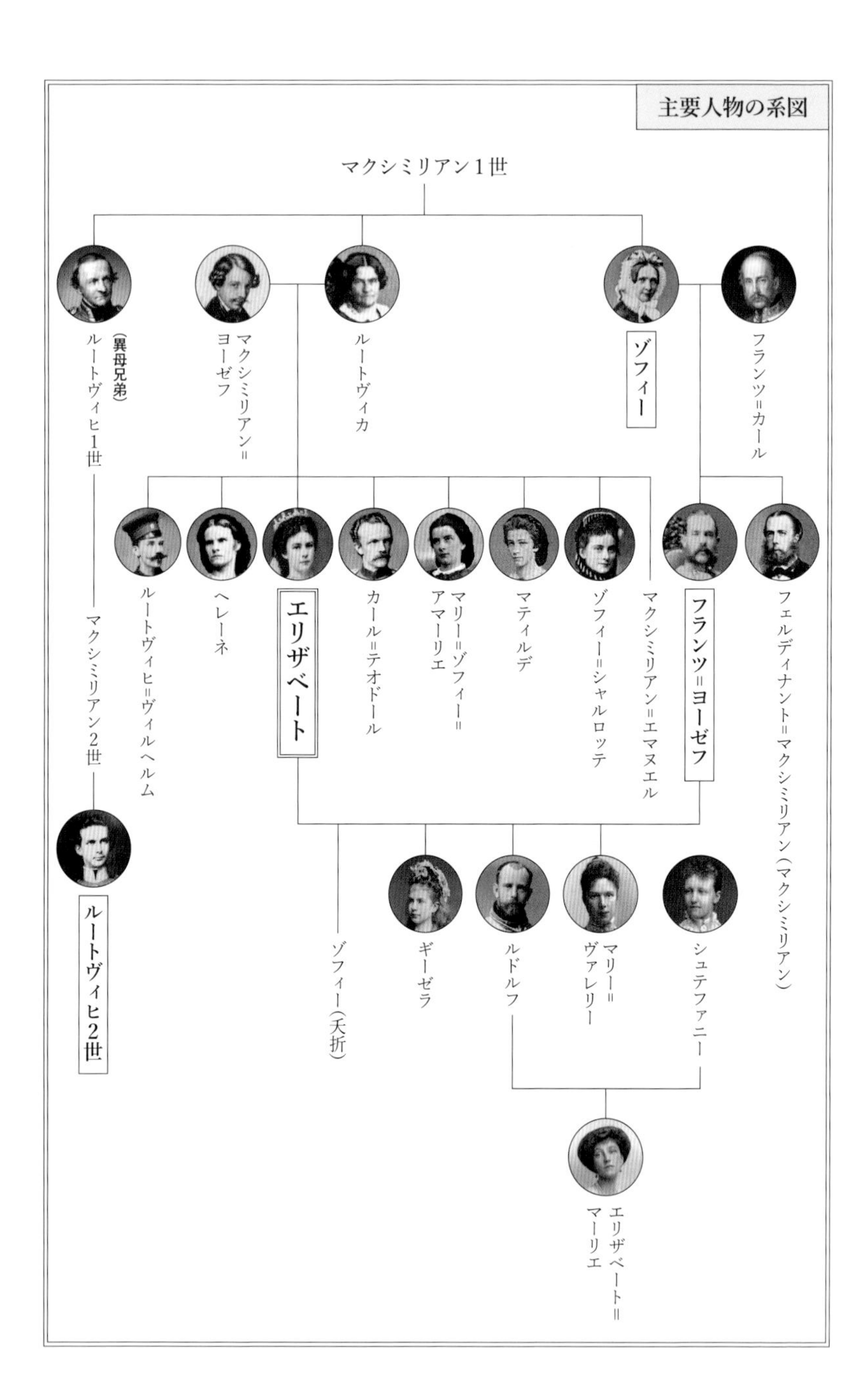

主要人物の系図
マクシミリアン1世
(異母兄弟)
ルートヴィヒ1世
マクシミリアン＝ヨーゼフ
ルートヴィカ
ゾフィー
フランツ＝カール
マクシミリアン2世
ルートヴィヒ＝ヴィルヘルム
ヘレーネ
エリザベート
カール＝テオドール
マリー＝ゾフィー＝アマーリエ
マティルデ
ゾフィー＝シャルロッテ
マクシミリアン＝エマヌエル
フランツ＝ヨーゼフ
フェルディナント＝マクシミリアン（マクシミリアン）
ルートヴィヒ2世
ゾフィー（夭折）
ギーゼラ
ルドルフ
マリー＝ヴァレリー
シュテファニー
エリザベート＝マーリエ

第一章　一八三七年の子

乳歯の生えた新生児

一八三七年一二月二四日。エリザベートがこの世に産声(うぶごえ)を上げた日である。折しもクリスマスイヴで、後に伝説の皇妃となる人物が誕生するには理想的な日付だ。しかもこの年のクリスマスイヴは日曜日、キリスト教の文化圏においては聖なる曜日である。加えて生まれたばかりのエリザベートには、すでに乳歯が生えていた。これはヨーロッパでは「幸運に恵まれた子供」の徴(しるし)であって、なおのことめでたかった。

つまり誕生した時から、かなりの注目を浴びていたのがエリザベートである。彼女はバイエルンの君主を輩出してきた大貴族ヴィッテルスバッハの家系に連なる人物だった。それを象徴するかのように、彼女の本名は、「エリザベート・アマーリエ・オイゲーニエ」という仰々(ぎょうぎょう)しいものである。しかも貴族の子女といえば、成長した暁(あかつき)には、その家に益をもたらす嫁ぎ先に行くのが、当たり前とされていた。

そうした状況の中で、重要とされた要素は何か。ルッキズムが問題視される現代社会では眉をひそめられるかもしれないが、「美貌」である。少しでもよい家柄の相手と結婚する女性にとって、美しさは、家柄と同様大きな武器だった。そうした意味で、エリザベートは生まれた時からその幸運を喧伝(けんでん)されることで、美貌への期待をかけられた。

そんな自らの出生に関して、エリザベート自身、後年（一八八七年）次のような詩を書いている。

『日曜日の子供』
私は日曜日の子供　太陽の子供／黄金の光が玉座の周りを取り囲む／その輝きが冠を煌めかせる／その光の中こそ　私の住む場所／だがその光が失せれば　私は死ぬしかない

最後に何やら不吉な影の射す、だが全体的にはきわめて誇り高い自意識に満ちた内容である。何しろエリザベートは、自らを「太陽の子供」、つまりは世界の中心と位置付けているのだから。しかもそうした矜持は、単に家柄ゆえのものではあるまい。後ほど詳しく触れるように、エリザベートの両親は、ヴィッテルスバッハ家の中でも傍流だった。となると、彼女の矜持がどこから来ているかとなれば、貴族の中でも名門中の名門であるハプスブルク家の当主フランツ＝ヨーゼフを否応なく惹きつけ、オーストリア皇妃にまで上り詰めたその美貌にあったといえる。
なおエリザベートには、三歳上のヘレーネという姉がいた。成人後のポートレートを見

ポッセンホーフェン城で愛犬と戯れる幼少時のエリザベート

ポッセンホーフェン城。1838年。フランツ＝クサヴァー・ナハトマン画

ると器量が悪いわけではないものの、周囲によれば、どうやらそれほど良くもなかった。それが、ヘレーネ本人とエリザベートの母親であるルートヴィカにとっては悩みの種であり、逆にヘレーネの妹であるエリザベートに期待がかかったのである。

母ルートヴィカの憂鬱

それにしても、我が娘の美貌に一喜一憂するルートヴィカとはどのような人物だったのだろう。

ルートヴィカは、時のバイエルン国王であり、ヴィッテルスバッハ家の当主だったマクシミリアン一世の、八番目の娘にあたる。マクシミリアン一世は、王国の安泰を念頭に、自分の子供たちに政略結婚をさせていた。

ただしルートヴィカにとって、結婚相手は自分の意に沿わなかった。彼女は、反乱の首謀者としてドイツに亡命していたポルトガルの王子ドン＝ミゲルと恋愛関係にあったからである。ところがミゲルには王位を継げる見込みがないため、両親に反対され、結婚には至らなかった。ただしミゲルはその後、ポルトガル王に即位するのだが。

失恋からほどなくして、彼女は別の相手と結婚をさせられる。相手はヴィッテルスバッハ家の分家の出、マクシミリアン一世の姉の孫という、かなりの遠縁にあたる公爵だった。

名前は、マクシミリアン＝ヨーゼフという。

　確かに国王マクシミリアン一世にとってみれば、本家と分家を結びつけ、ヴィッテルスバッハ家の関係を強固にすることは、一族の安定のために不可欠だった。というのも一八世紀後半には、当時のヴィッテルスバッハ家の当主が嫡子（ちゃくし）を残せず、バイエルン存続の危機が訪れたからである。結局この危機は何とか克服されたものの、マクシミリアン一世は過去の教訓に学び、娘ルートヴィカを通じて自らの戦略を実現させようと躍起になった。

　だが、失恋の傷も癒えない中、「分家」のマクシミリアン＝ヨーゼフと結婚することは、「本家」のルートヴィカにとって面白いはずもない。「分家」の気楽さゆえか、「本家」に比べるとマクシミリアン＝ヨーゼフの行動や思考はあまりに自由であり、ルートヴィカにとっては、貴族という立場をわきまえない勝手気ままな態度として映った。

　だが、それも貴族の家に生まれた者の宿命である。ルートヴィカは結婚した以上、もう一つの責務を果たすことに力を注いだ。それが、子供を産むことである。

　そして長女のヘレーネが誕生した。しかも、この時ルートヴィカは双子を妊娠していたのだが、一人は流産してしまい、生まれてきたもう一人の子供がヘレーネだった。というわけで、彼女にはよい嫁ぎ先をと期待していたが、今一つ器量の点でぱっとしない。そこで次女のエリザベートに、多大な期待がかけられたのである。

バイエルンの微妙な立ち位置

子女が美人であることは、バイエルンにとっては重要だった。他国との政略結婚を行う際には、「美しい容貌」を看板に掲げざるを得なかったのだから。

現在のドイツ南部に位置するバイエルンは、古い伝統を持つ君主国だった。ただし領土という点で言えば、大中小様々な国々が分立していたドイツ語圏の中では、いわば中規模国家だった。またそれゆえにバイエルンは、目まぐるしく変化を遂げるヨーロッパの政治地図の中で、キャスティングボートを握り、その存在感を示し続けてきた。

たとえば一九世紀初頭、ヨーロッパに軍事侵攻を繰り返していたナポレオン・ボナパルトにすり寄ったことで、バイエルンは「選帝侯国」から「王国」に格上げされ、領土を広げることさえできた。しかもナポレオンの権威が失墜すると、それまで彼に攻められてきたオーストリアを含むドイツ語圏の国々の味方についた。このような変わり身の速さでバイエルンの存在感を保とうとした人物こそが、ほかならぬマクシミリアン一世である。バイエルンを盤石にすべく、政略結婚を彼が推進したのも道理だった。

「美貌の娘たち」の嫁ぎ先

そうした観点から、マクシミリアン一世の娘たちの嫁ぎ先を見ると次のようになる。

三女のカロリーネ＝アウグステは、時のオーストリア皇帝フランツ一世の再婚相手となる。四女のエリザベート＝ルートヴィカは、後のプロイセン王ヴィルヘルム四世（当時は王太子）と結婚する。そして七女のゾフィーは、件のオーストリア皇帝フランツ一世が最初の妻との間に設けた三男フランツ＝カールの元に嫁ぐ。

オーストリアとプロイセン。この二国は、当時のドイツ語圏の中でも抜きんでた大国であり、覇権を狙って度々争いを起こしていた。つまり、ライバル関係の両国に自分の娘たちを適宜送り込むことで、両方によい顔をしながら、何とか自国の安定を図ろうとした。

ただし、あくまで中規模国家にすぎないバイエルンからの王女をめとってもらうには、結局のところ彼女たちの美貌が鍵を握る。その一つの証が、オーストリアのフランツ＝カールの元に嫁ぎ、やがてエリザベートの姑となるゾフィーだった。彼女は、後にバイエルン国王となる異母兄、ルートヴィヒ一世の作った「美人画ギャラリー」の中にその肖像画が収められるほど、美貌の持ち主として知られていた。また、ゾフィーほど脚光を浴びずとも、バイエルンの王女たちの美しさには定評があった。

だからこそ、ルートヴィカにとってみれば、自分の娘たちの美貌は、何よりも重要だった。彼女自身それなりに美しかったにもかかわらず、八女という立場もあって傍系と結婚させられた身ともなれば、その思いはひとしおだっただろう。だからこその、長女ヘレーネへの密かな失望と、次女エリザベートへの期待があったのである。

ナポレオンの失脚、「平和」のためのウィーン会議

ところで、エリザベートの生まれた一八三七年は、ドイツ語圏の歴史では「三月革命前夜」という時代にあたる。「三月革命」とは、エリザベートが一一歳の折、一八四八年にバイエルンやオーストリアをはじめ、ドイツ語圏の各地で起きた革命のことだ。その「前夜」とは、どのような時代だったのだろう。

話は、一九世紀初頭に遡(さかのぼ)る。当時はフランス革命の精神の伝播を掲げたナポレオンが、ヨーロッパ各地で軍事侵攻や傀儡(かいらい)政権の樹立を繰り返していた。だが、ロシア遠征の敗北を機にその勢いが弱まると、これまで同盟関係にあったバイエルンすら彼を裏切っていく。

こうした動きの背後には守旧的な貴族の、フランス革命に対する嫌悪があった。彼らにすると、フランス革命は、これまで貴族階級が繁栄を享受してきた社会を破壊するものであり、容認できるものではない。となれば、革命の体現者を自称したナポレオンも、許せ

ない相手だった。卓越した軍人だった彼は、武力を駆使して各地に軍事侵攻を行い、領土を拡張しただけでなく、いわばヨーロッパ中を戦争状態に陥れたのだから。

とすれば、ナポレオンが失脚に至ったのは、好機である。フランス革命以降、地位を脅かされることの多かった貴族階級は、再び絶大な力を振るえる世界を蘇らせようとした。

こうして一八一〇年代後半以降、厳しい保守反動体制が敷かれていくが、上からの極端な締め付けは、やがてほころびを見せるようになる。ナポレオンの失脚後、再びブルボン家による王制が敷かれたフランスでは、一八三〇年に革命が起こる。市民寄りの穏健派が、新たに「フランス国民の王」を擁立した。また伝統的な君主国でも、市民階級の台頭を念頭に置いた穏健政治を敷く支配者が現れた。

バイエルンでもマクシミリアン一世の下、欽定憲法が発布され、立憲君主制が敷かれた。教育改革、拷問の禁止、教会の既得権益の廃止等が君主によって進められ、存在感を増す市民階級と君主制との共存が目指された。マクシミリアン一世の息子であり、跡を継いだルートヴィヒ一世も、より進歩的な改革を実現する。報道関係の検閲の廃止をはじめ、地方にあった大学を首都ミュンヘンに移転させることで、王国の知的水準の高揚、大学の教育研究活動の円滑化を推進した。

ただし、一八三〇年にフランスで革命が起こると、ルートヴィヒ一世は行き過ぎた自由主義が下から高まり、王制が動揺しかねないと警戒するようになる。結果、検閲を復活させたり、国家騒乱の疑いのある者の逮捕、収監、場合によっては死刑に処したりといった具合に、反動的な姿勢に転じた。

このように、保守反動体制はヨーロッパから消え去ることはなかった。それにもかかわらず、密かな抵抗を示す人々が出現しつつあった。これこそが、「三月革命前夜」と呼ばれる一八三〇年代、四〇年代の時代状況である。

「三月革命前夜」の父親

旧い因習と新しい動きのせめぎ合い。それを象徴する人物が、エリザベートの父親、マクシミリアン゠ヨーゼフである。

このマクシミリアン゠ヨーゼフだが、貴族の身分にもかかわらず、自由な生き方を専らとした。バイエルン国王の親戚とはいえ、分家の人間だったことや、彼の祖父（バイエルン侯ヴィルヘルム）の主導でリベラルな教育を施されたこと、さらにはこの祖父が莫大な財産を残して世を去ったことが理由として考えられる。

二〇歳を迎えた一八二八年には、ミュンヘンに豪華な邸宅を建て、趣味に明け暮れながら、客人に対して芸術品の数々を見せたり、ピエロに扮して客人を楽しませたりした。さらに一八三四年には、ミュンヘンから三〇キロほど離れたシュタルンベルク湖の畔にあったポッセンホーフェン城を手に入れた。つまり、人目にさらされがちな本家のミュンヘンの邸宅よりも、さらに自由な生活を送れる離宮を欲したのである。

バイエルンの民族音楽を代表する庶民の楽器、ツィターにも興味を示し、この楽器の名手にわざわざ手ほどきを頼んでいる。文学、演劇、狩猟、乗馬にも興味を示し、自ら「ファンタスムス（幻）」というペンネームで絵画や戯曲も手掛けた。

旅行も好きで、特に地中海はお気に入りの訪問場所だった。一八三八年から三九年にかけては、ギリシアやエジプトを経てイスラエルに至る大旅行をしている。ちなみに一八三八年といえば、エリザベートが生まれた翌年。つまりマクシミリアン＝ヨーゼフは、次女が誕生しても気に留める風もなく、自分のための旅に出ていたのである。こうした父親に対し、後年エリザベートは愛憎半ばする感情を抱いていく。近年の研究によれば、エリザベートがマクシミリアン＝ヨーゼフに懐いていたわけではなかった。

つまり、マクシミリアン＝ヨーゼフは、きわめて新しい時代の貴族だった。ただし、貴族という生まれつきの地位から逃れることはできない。彼がルートヴィカと意に沿わぬ結婚をしたのも、ミュンヘンに邸宅を構えたのと同じ年である。

政略結婚から恋愛結婚へ

こうして結婚をさせられたマクシミリアン＝ヨーゼフとルートヴィカだが、一方でそうした結婚は不本意である、と考える風潮が生まれつつあった。

一八世紀までであれば、結婚は「家」あるいは「親」同士のために行われるべき、という考え方が一般的だった。結婚とはまさに「家」を守り、子孫を増やすことで、「家」の行く末を安泰にするための、共同体維持の手段だったからである。特に、国の統治と密接な関係のある貴族にとってみれば当然で、それゆえの政略結婚だった。

だが、古い結婚観は、一九世紀に入ると徐々に揺らぎ始める。それは、保守の牙城のように思える貴族の家も同様だった。つまり、市民革命に見られるように、個人の自由を重視する動きが高まりつつあった。それまでは結婚は恋愛とは別物だったが、恋愛の延長線上に結婚がほの見えてきた。

マクシミリアン＝ヨーゼフもルートヴィカも、そうした時代の子供たちだった。だからこそマクシミリアン＝ヨーゼフにとってみれば、二〇歳で自由な独身生活に終止符を打つことは不本意だった。一方のルートヴィカも、ポルトガル王子ミゲルとの恋愛を断念することが不満だった。

そうした伝統を不満に思う貴族の子弟子女が出てくるまでに、恋愛を基盤とした結婚を重要視する価値観が現れ始めていた。ゆえに、恋愛が成立しないと結婚自体ができなくなったり、恋愛感情が薄れる中で結婚生活が破綻したり、という問題が起きていった。

エリザベートの幼少期

ところで、エリザベートの幼少期は、どのようなものだったのか。

まず母親のルートヴィカは、夫の家族生活への無関心ゆえ、エリザベートをはじめとする子供たちと家庭に取り残された状態だった。貴族の家柄ゆえ、養育係はたくさんいたが、そうした状況を反映してか、エリザベートはあまり落ち着きがなく、長時間じっと座っていられなかった。教材にもほとんど興味を示さず、乗馬や木登り、詩作に熱中した。

バイエルン王家の本家に連なるルートヴィカとしては、エリザベートをもう少しおしとやかに育てたかったようだが、かなり大目に見た節がある。というのもエリザベートは、次女だったからだ。これが長女のヘレーネとなると、話は別だ。貴族の掟として、名家との良縁を狙うのが当然だったからである。ただし次女となると、そのプレッシャーは確実に減る。しかもエリザベートは生まれた時から、特別な美貌の持ち主との評判が高い。おしとやかに育てなくても、良縁にはいくらでも恵まれる可能性があった。

さらにいくらルートヴィカが本家の出であったところで、夫は傍流の人間である。となれば、名家との結婚自体がさほど現実的ではなかった。あまり高望みをせず、一通りの作法を教えておけばよいではないか。それも次女であれば、なおさらだ。

それを物語るのが、ヘレーネもエリザベートも興味を示した英語である。ルートヴィカは二人の家庭教師に、イギリス人のメリー・ニューボールトを雇った。彼女たちはニューボールトから英語を習い、姉妹同士の秘密のやり取りを英語で交わすまでになった。

現代でこそ、英語は国際公用語の位置付けだが、当時はそうではなかった。貴族の世界では、フランス語やイタリア語が伝統的に重んじられ、慣習からすれば異例のことだった。しかも娘に英語を習わせる話自体が、「本家」に連なる人間だったルートヴィカから出たことを考えると、時代は確かに変わりつつあった。

親子の間で、あるいは子供たちの間で、彼らが成人になった後も愛称が用いられ続けたのも、自由な空気が入り込みつつあった証拠だろう。エリザベートの愛称は、本来は名前の一部をとって「リージィ」となるところを、子供の舌では言いにくいため、いつの間にか「ジシィ」あるいは「シシィ」となったようだ。

エリザベートの繊細さ

ニューボールトが一八四六年、結婚のために家庭教師の立場を退くと、ルートヴィカは娘二人を同じ家庭教師に任せることをやめる。ヘレーネが妹のエリザベートを支配しようとしたためだった。そこで、エリザベートに次なる家庭教師が迎えられる。ルイーゼ・フォン・ヴルッフェンという、貴族の家柄に属する人物である。

ヴルッフェンは、少女時代のエリザベートについて、いくつかの証言を残している。それによれば彼女は、「繊細で、過剰なまでに感じやすい」性格だった。と同時に、女性の嗜(たしな)みである横乗りの作法による乗馬を、たった三時間で覚えてしまった。

エリザベートは決して天真爛漫な「野生児」ではなかった。乗馬をはじめスポーツは得意だったが、運動神経のよさが、性格の図太さと一致しているわけではなかった。貴族の娘にしては自由に育ってはいたものの、その奥底には傷つきやすさが潜(ひそ)んでいた。

その一因が、エリザベート自身その血を継ぐバイエルン王家、つまりヴィッテルスバッハ家の特質である。たとえばエリザベートの従弟(いとこ)であるルートヴィヒ二世の場合。彼は幻想的な世界に溺れ、莫大な金額の城を次々と建てた結果、議会から狂気のレッテルを貼られて幽閉され、謎の死を遂げた。またその弟のオットーは、文字通り狂気に囚(とら)われて生涯を送った。さらに、ルートヴィヒ二世の祖父にあたり、女性スキャンダルが元で退位を余儀なくさせられるルートヴィヒ一世、あるいはエリザベートの父親であるマクシミリアン＝ヨーゼフも、王家の貴族にしては、どこか神経の切れたような奔放さがついて回る。

さらにバイエルンという土地柄にも、奔放さと繊細さが同居している。前者については、世界最大級のビール祭りである「オクトーバー・フェスト」や、ミュンヘンの老舗ビアホール「ホーフブロイ・ハウス」の賑やかな様子がすぐさま思い浮かぶ。

その一方で、バイエルンは地理的に、ヨーロッパの中央を貫くアルプスの一画に位置している。つまり典型的な山岳地方の気候であって、厳しい冬が一年の多くを占める。人々の心は暗鬱になり、内へ内へと閉ざされてしまうのも当然である。

エリザベートの中にも、奔放なまでのスポーツ好きと、極端なまでの繊細さとが同居していた。そしてこの複雑な性格は、生涯にわたってエリザベートについて回り、彼女の周囲の人間はおろか彼女自身にとっても、エリザベートとは何者か、彼女にとっての「私」とは何かを定めがたくしていくのである。

緑のイザール河畔で

エリザベートは後年、ミュンヘンを象徴するイザール川を詠んだ詩を残している。彼女にとって、ミュンヘンあるいはバイエルンそのものがどのように映っていたのかを垣間見（かいま）せてくれる作品である。

『緑のイザール河畔で』
ハンノキの花が芳香を放ちながら／銀色の月光に包まれた緑の流れに
覆いかぶさっている／木々のほっそりした枝の上にゆらめき／陶然と
しながら　水の中に散っていく／そこでは妖精が輪になって踊り
向こう見ずな勇気のない者には／妖精の女王が自らヴェールを外して
／その青ざめた顔を見せつける／だが死に行く者にとって　その道は
容易（たやす）いものだろうか？／幾重もの銀波に身をよじらせて

『緑のイザール河畔で』というタイトルは、厳しい冬が終わり、人々が太陽を求めて戸外に出ていく様を連想させる。ハンノキの花が咲いているくらいだから、初夏の風景なのだろう。

だが、「緑」と言っている割に、詩の舞台は燦燦たる太陽の下ではない。月に照らされた夜の世界である。その秘めやかな世界においては、せっかく咲いた花が川面（かわも）に散っていくような儚さや妖しさが存在している。それを象徴するのが、妖精たちや妖精の女王だ。彼らは生きている者を死に誘う魔力を行使し、彼らを川の中に引きずり込もうとする。

タイトルと中味のギャップがあまりにも大きく、それがイザール川である点が印象的だ。生命が弾ける春から夏にかけても、長く厳しい冬の間に作られた死への密かな憧れ、死との融和が存在している。健康的な奔放さと病的なまでの繊細さは、常にコインの裏表のように一体感をなし、バイエルンに生まれ育ったエリザベートの中に息づいていた。

岐路に立つハプスブルク帝国

ところで、やがてエリザベートが嫁ぐこととなる、バイエルンの隣国オーストリアはどのような状況だったのか？

現在でこそオーストリアは、四方を陸に囲まれた「海なし国」として、ヨーロッパの中ではかなり小規模な国だが、当時はそうではなかった。ウィーンを都とするオーストリアを中心に、ハンガリーやチェコをはじめとする中央ヨーロッパの大部分、さらにはイタリアまでをも支配する巨大な帝国だった。なおこの帝国を率いていたのは、ヨーロッパの貴族の中でも伝統と格式に裏打ちされたハプスブルク家である。オーストリア帝国、つまりハプスブルク家の領土を指して、「ハプスブルク帝国」という呼び名も存在するほどだ。

これだけハプスブルク家が巨大な領土を築けたのには、わけがある。同家は元々武力がきわめて強かったことに加え、特に一五世紀末以降は文化力の増強にも力を注いだ。そしてヨーロッパ中の貴族から一目置かれるような状況を作り出した上で、積極的な婚姻政策を展開した。こうしてハプスブルク家は、一時はスペインと、スペインが植民地としていた中南米や東南アジアまでをも含む、巨大な領地を直接支配することとなった。またそれとは別に、バイエルンを含むドイツ語圏の諸地域にも影響力を及ぼしていった。

その証が、「神聖ローマ帝国皇帝」という称号だ。「神聖ローマ帝国」とは、中世以来存在していた、ドイツ語圏内の様々な国家の連合体である。そのリーダーが「神聖ローマ帝国皇帝」である上、「皇帝」とは貴族の世界の最高の支配者を意味する。そんな栄えある位を、ハプスブルク家は権謀術策（けんぼうじゅっさく）を通じ、一六世紀以降ほぼ一貫して独占してきた。

だが、そうしたハプスブルク家の姿勢が、一八世紀末から一挙に批判の矢面（やおもて）に立たされる。その急先鋒がナポレオンだった。彼にしてみれば、ハプスブルク家は旧態依然とした政治体制に固執し、その延命に力を貸している存在である。もちろんそうした一見高邁な理念とは別に、ハプスブルク家の巨大な領土を切り崩し、フランスの強大化を図ろうという実質的な狙いもあった。それゆえ同家は、格好の攻撃対象となったのである。

結局、ハプスブルク家もこの状況に抗（あらが）えず、一八〇六年には神聖ローマ帝国の解体をやむなく決意する。ただしこれまで同家の当主が担ってきた「皇帝」の位は手放したくないため、先立つ二年前に、同家の広大な領土を「オーストリア帝国」と名付け、「オーストリア帝国皇帝」という位を新設した。以後、ハプスブルク家の当主は、オーストリア皇帝を名乗ることで、一応の面目を保っていった。

下り坂の皇家

ウィーンはナポレオンの失脚後、市民の政治的自由を抑圧し、貴族をはじめ昔ながらの特権階級が絶大な力を持つ保守反動政治の牙城（がじょう）と化す。それもこれも、ナポレオンによって潰された同家の威信を回復するためだった。

ただし、当のオーストリア皇帝たるハプスブルク家の当主フランツ一世は、相次ぐナポレオンからの攻撃に疲弊し、政治に対する熱意を失いつつあった。結果彼は、腹心の政治家に全てを任せるようになっていく。

代表格が、クレメンス・フォン・メッテルニヒだ。彼はオーストリア帝国外務大臣として、ナポレオンを相手にハプスブルク帝国の存続を図る。また彼の失脚後は、オーストリアを中心にヨーロッパ全体を革命前の絶対王政に戻すべく、保守反動的な体制を確立するための国際会議（ウィーン会議）の開催や運営を取り仕切ったりした。またそうした功績がフランツ一世直々に認められ、帝国宰相に昇格して、国の全てを取り仕切るようになる。なおフランツには息子たちがおり、一八三五年には長男のフェルディナントが彼の跡を継いで二代目のオーストリア皇帝となるものの、これがまた不甲斐なかった。生来心身ともに脆弱だったため、もとより政治を司るだけの力を有していなかったのである。となると、メッテルニヒへの依存度はますます強まり、皇帝は形だけの存在になっていく。

そのような状況の中で生まれた中世風の建物がある。ウィーンから南方に二〇キロあまりの地に位置するハプスブルク家伝来の離宮、ラクセンブルク城の中に造られた。その名も、建物の建造主でありフランツ一世の名前をとって、「フランツェンブルク（フランツの城）」という。なおこの城だが、実際に住むためのものではなく、わざわざ「見る／見せる」ためだけの目的で造られた。

なぜこのような城を建てたのだろう。実のところ、危機に瀕しているハプスブルク家の権威や栄誉を、中世にまで遡って可視化し、広く一般に見せるためのものだった。また、ナポレオンの登場をはじめとする、息も詰まるような現実の中で、過去への逃避願望もあったことは否めない。ゆえにこの城には、ハプスブルク家の振興に貢献した歴代君主の肖像、彼らの活躍を物語るステンドグラスや様々な彫刻等が収められている。

王女ゾフィーの奮闘

今や当主自らが過去の栄光を顧みる下り坂の皇家へ、一八二四年に嫁いできた女性がいた。彼女の名はゾフィー。バイエルン王マクシミリアン一世の五女で、ルートヴィカの姉だ。つまりエリザベートにとっては叔母であり、後には姑となる人物である。しかも彼女の結婚相手は、オーストリア皇帝フランツ一世の三男（次男が早世したため実質的には次男）であり、後の皇帝フェルディナント一世の弟にあたる、フランツ＝カールだった。

つまりゾフィーの結婚相手は、ハプスブルク家の直系といえども、二番手の人物だった。しかもフランツ＝カールも、兄のフェルディナント同様、病弱で皇帝の器にふさわしくない人物だった。そこからゾフィーの奮闘が始まる。つまり、不甲斐ない夫を尻目に、これぞ世継ぎにふさわしい男子を産み、立派な大人に育てることが、彼女の使命となった。フェルディナントは病弱であったため、子孫を残す状態にはなかったからである。

そのような中でゾフィーは流産を繰り返し、なかなか子宝に恵まれなかった。それでも宮廷内の批判をはねのけるかのように様々な試みを行い、アルプスの大自然に囲まれたザルツブルク近郊の温泉地バート・イシュルで懐妊した。この第一子こそ、後のオーストリア皇帝であり、エリザベートの夫となるフランツ＝ヨーゼフである。

フランツ1世。1832年。フリードリヒ・フォン・アマーリング画

フランツェンブルク城。1838年。エドゥアルト・グルク画

フランツ=ヨーゼフ（左）を抱きかかえるゾフィー、次なるハプスブルク家の当主としてフランツ=ヨーゼフが神格化されている様子が分かる。1830年代。カール=ヨーゼフ・シュティーラー画

ちなみにゾフィーが一八三〇年にフランツ＝ヨーゼフを出産したのは、ウィーン近郊に位置するハプスブルク家の離宮、シェーンブルン宮殿だった。皇帝の息子とはいえ、二番手にすぎない人物の妃が、あえてその場所を出産の場に選ぶ。これぞ、才気に欠ける夫やその親戚を尻目に、我こそがハプスブルク家を担うのだ、という意思表示にほかならなかった。

ゾフィーの強い確信は、中規模の王家出身の人間であるというコンプレックスに裏打ちされたものだった。彼女は、ハプスブルク家における自らの立場と揺らぎつつあるハプスブルク家の威信の復活を、なりふり構わず打ち立てようとした。そうした意味で、とかく守旧的な人間と見なされがちなゾフィーもまた、「三月革命前夜」の人間だった。外様であるからこそ、時に同家の慣習を揺るがせにしてまで、嫁ぎ先のハプスブルク家の伝統を守ろうとする姿勢。そこにこそ、貴族階級の中にすら「私」の意識が芽生え始めた時代における、彼女なりの自己実現の道があったのだから。

第二章　一八四八年の革命

反「三月革命前夜」の牙城として

ゾフィーが鳴り物入りでフランツ＝ヨーゼフを出産した一八三〇年は「三月革命前夜」が幕を開けた時代だった。フランスでは七月に革命が起こり、ナポレオンの失脚と引き換えに誕生した復古王政が倒される。それではオーストリアはどうだったか？

表面的には何も変わらなかった。政治的関心を失った皇帝フランツ一世の下、宰相メッテルニヒは権力を増大させた。その傾向は、彼の息子フェルディナント一世が帝位を継ぐと、ますます強くなった。

それでも、保守反動体制の中心人物だったメッテルニヒには、期するところがあったのだろう。革命の勃発したフランスで、富裕な市民階級に担ぎ出された穏健派の貴族が新たに「フランス国民の王」に即位すると、すぐさまそれを認めた。下手にフランスの新体制を拒絶すれば、フランスで起きた革命がオーストリアに及びかねなかったためである。

逆に言えば、保守反動体制の下で抑圧された市民階級の不満は高まり始めていた。だからこそメッテルニヒは、ウィーン会議以降何も変わっていないかのような政治体制を敷き続けた。その中で生まれ育ったのが、フランツ＝ヨーゼフだった。

厳格極まる帝王教育

ゾフィーは、フランツ＝ヨーゼフにどのような教育を施したのだろう。

ゾフィーにとって何よりも重要だったのは、わが子を将来の皇帝にふさわしい人物に仕立て上げることだった。その動きは、フェルディナント一世が皇帝に即位した一八三五年頃から顕著になる。当時は、もはやフェルディナントが健康上の問題で嫡子を残せる状態でないことがはっきりしつつあった。また彼の弟であり、ゾフィーの夫であるフランツ＝カールも、皇帝になるには心身ともに脆弱にすぎた。

というわけで、まだ五歳前後のフランツ＝ヨーゼフに対し、入念な帝王教育が開始される。しかもゾフィーは、乳母(うば)にわが子の世話や養育を任せた。伝統ある皇家ハプスブルク家が長年築き上げてきたしきたりの中で、未来の皇帝が育つことが重要だと考えたからである。なお「乳母」といっても、れっきとした女官が担当した。中でもルイーゼという貴族出身の女官は、ミュンヘン時代のゾフィーと面識があり、筆頭養育係として抜擢される。子供たちからは、「アーニェ」や「アヤ」という愛称で親しまれた。

そんな「アーニェ」からも、フランツ＝ヨーゼフは七歳の折に引き離され、帝国の中枢を担う人物たちの下で、厳しい教育を施されるようになった。特に教育係の筆頭を担ったのが、名うての外交官として活躍したハインリヒ・フランツ・フォン・ボンベレス、および軍人として知られるヨハン・バプティスト・コロニーニ＝クローンベルクである。

フランツ＝ヨーゼフは最初の年から、週に一三時間、翌年からは三二時間、一二歳になると五〇時間もの授業を課された。内容はドイツ語や正書法、地理、歴史、宗教、図画、音楽、ダンス、馬術、体操、フェンシング、水泳、軍事訓練、フランス語、ハンガリー語、チェコ語、そしてイタリア語だった。しかもその一つ一つが、苛烈(かれつ)を極める内容だった。

フランツ＝ヨーゼフへの帝王教育を望んでいたゾフィーですら、これには懸念を示したほどである。実際一三歳になった時、フランツ＝ヨーゼフ自身、ストレスのあまり病気になってしまう。だがそれが治ると、さらに容赦のない教育が再開され、哲学、法律学や政治学、天文学、工学、ポーランド語も追加された。授業は朝六時に始まり、夜の九時まで続いた。フランツ＝ヨーゼフを未来の皇帝にふさわしい人物に育て上げることで、ハプスブルクの宮廷で自己実現を図ろうとしたゾフィーの意志の表れだった。

「フランツ＝ヨーゼフ」という名前が意味すること

このような教育現場を見るにつけ、「三月革命前夜」の自由を孕(はら)んだ空気など、微塵(みじん)も感じられない。またゾフィー自身、かくなる空気を寄せつけまいと考えていた節がある。

というのも、フランツ＝ヨーゼフを未来の皇帝にふさわしい人物にする、というゾフィーの考え方の裏側には、現役の皇帝たちの不甲斐なさへの批判があったからだ。だが、様々な価値観を抱え、隙あらば独立の機会を虎視眈々と狙う多民族を擁するハプスブルク帝国としては、それでは困る。皇帝が決断し、国の全てを牽引していくようでなければ、不穏な空気は抑えきれない。

そんなゾフィーの狙いを物語るエピソードがある。一八四八年、「三月革命」がウィーンをはじめオーストリア帝国内で勃発する中、フェルディナント一世は帝位から退き、フランツ＝ヨーゼフが帝位に就いた。しかも彼は皇帝になってからも、本名の「フランツ＝ヨーゼフ」というダブル・ファーストネームを名乗り続けた。

これは、異例の出来事だった。貴族の家によく見られるように、ハプスブルク家の場合、一族の祖先ゆかりのファーストネームを自分の名前として、いくつも持っていることは珍しくない。ただし皇帝になる時には、そこから一つだけファーストネームを採る、というのもまた同家の慣例だった（ハプスブルク家の当主ではあったものの、女性であるがゆえに皇帝にはなれなかったマリア＝テレジアの場合は例外だが）。

ただしその慣例が、フランツ＝ヨーゼフが皇帝に即位した際には覆された。何しろフランツとは、一九世紀初頭、ナポレオンの猛攻に辛うじて持ちこたえ、ハプスブルク家の所領を「オーストリア帝国」として再編した、同帝国の初代皇帝フランツ一世のことである。そしてヨーゼフは、一八世紀後半、新興著しい市民階級をはじめとする下々（しもじも）の人々のために、自ら率先して上からの改革を行った啓蒙制君主ヨーゼフ二世を指す。

これは、ハプスブルク家の歴史に重要な役割を果たした名君の名前を通じ、帝国のため、また民のための政治を行う新君主というイメージを、フランツ＝ヨーゼフに与える作戦だった。また、作戦の裏側には、当然ゾフィーの宮廷内でのしたたかな根回しがあった。

ここにも、フランツ＝ヨーゼフをシェーンブルン宮殿で出産したことと共通するゾフィー特有の行動が見えてくる。つまり「ハプスブルク家の栄光」という伝統を守るあまり、彼女自身が同家の慣例に思わぬ変化を生じさせたことである。しかも、フランス革命以降世の中に広まった「自由」を嫌悪しておきながら、ゾフィー自身はそうした自由と表裏一体の関係をなす「私」の確立を、事もあろうにハプスブルク家の中で実現させてしまった。

三月革命ついに勃発

それは一人、ゾフィーだけに限られた事象ではあるまい。何事も変化しないかのように見えていた保守反動体制のもとで、様々な新しい動きが、さざ波のように起こり始めた。

きっかけは、一八四〇年代半ばに起きた天候不順である。農作物は高騰し、物価が急上

ウィーンの1848年の革命の様子、ウィーン大学の脇にバリケードを築く学生と市民たち

ウィーンから逃亡するメッテルニヒの風刺画。1872年(1848年の原画の複製)。作者不詳

昇した。ところがメッテルニヒ体制は、それに対してほぼ何も手を打てなかった。これが、政治的な不自由に我慢を重ねてきた市民階級の不満を一挙に高めた。彼らの下で働く労働者たちも、強権体制を敷くわりには経済対策の一つもできないメッテルニヒに対して、隙あらば反逆の機会をうかがった。

ただし革命そのものは、保守反動体制が三〇年にわたって続いてきたオーストリアではなく、まずはフランスで起きた。一八三〇年の革命以来、「フランス国民の王」を名乗って来た君主が腐敗を重ね、一部の富裕な市民だけに有利な政治を行っていたことに、一七八九年以来革命の伝統が続くフランス人が反旗を翻した。なおこのフランスでの革命は、二月に起きたことから「二月革命」と呼ばれているが、その波が翌三月には一挙にウィーンへ押し寄せる。ここにいよいよ、「三月革命」が始まった。

この革命のうねりの中で、オーストリア帝国の最高責任者だった皇帝フェルディナントはどうしたか。最初のうちは、それまでの凡庸さが信じられないほどの大胆な決定を下す。一例がメッテルニヒの罷免である。革命が起きた上、自分を庇護してきた皇帝からも見捨てられた彼は、身の危険を感じて国外へ亡命する。

ただしこれは、フェルディナント自身を窮地に追い込む決定だった。彼としては、メッテルニヒをスケープゴートとし、民の不満が自分に向かないようにする目論見だったが、結局は頼り切りにしてきた政治的腹心を失うことへとつながった。

さらにフェルディナントは民の人気を得るべく、自ら馬車に乗って、検閲の廃止や出版の自由を認めるお触れを出す。だがそれは、嵐の最中に雨戸を開けるような行動だった。革命を起こした側はますます勢いづき、議会の改革や自由選挙の施行など、過大な要求をフェルディナントに突きつけるようになる。

こうして孤立無援となったフェルディナントは、死ぬまで務めるはずの皇帝の座を投げ出し、隠居してしまった。しかも、本来であれば彼の弟であるフランツ＝カールが皇位を継承するところを、フランツ＝カール自身皇位には興味がなく、さらにはゾフィーの様々な根回しも手伝って、一八歳のフランツ＝ヨーゼフがオーストリア皇帝に即位する。

インスブルックでの出会い

そんな折も折の五月、近い将来皇帝になることが確実視され始めた若きフランツ＝ヨーゼフは、ゾフィーや弟たちとともに、オーストリア西部のインスブルックにいた。フェルディナントが革命を避けてこの街に一時退避したことに伴い、一族郎党にも安全を保つべく招集がかかったからだった。

直前まで、フランツ＝ヨーゼフは北イタリアにいた。ハプスブルク家が支配していたこの地で独立を求める動きが起き、鎮圧部隊に加わっていたのである。もちろんその背後には、未来の支配者であるフランツ＝ヨーゼフに軍人としての実体験も積ませようという、ゾフィーの教育方針も働いていた。だが皇帝の命（めい）には逆らえず、フランツ＝ヨーゼフは急ぎインスブルックへ向かった。

インスブルックで、フランツ＝ヨーゼフは初めてエリザベートと出会う。やはり革命で騒然としていたミュンヘンからの一時退避を目的に、エリザベートと姉のヘレーネが、母に連れられてこの街に来ていたからだ。

この時は、フランツ＝ヨーゼフは一八歳目前であったが、エリザベートは一一歳にもなっておらず、双方の間に恋が芽生えることはなかった。むしろエリザベートに夢中になったのは、フランツ＝ヨーゼフの弟であり、この年一五歳を迎えたフランツ＝カールだったようである。ただしフランツ＝カールが熱を上げようにも、インスブルック滞在の期間はあまりにも短かった。というのも政情が落ち着けば、双方の親ともにそれぞれ自分たちの本拠地へ戻るつもりだったからだ。また本拠地が騒擾（そうじょう）の中にあるとなれば、親だけでなく子供たちも落ち着かず、恋が芽生える状況にはなかった。

愛人問題が引き起こしたバイエルンの革命

オーストリアと同様、一八四八年にバイエルンの都ミュンヘンで起きた革命とはどのようなものだったのか。時の王ルートヴィヒ一世は、当初かなりリベラルだったものの、一八三〇年のフランスでの革命を機に保守化したため、その不寛容な姿勢に人々が不満を溜めていたところに、王の愛人問題が引き金となった。

元々、離宮の中に「美人画ギャラリー」を作るなど、ルートヴィヒ一世は美女に目がなかった。ただし貴族たるもの、愛人を作ることは黙認されており、エリザベートの父であったマクシミリアン＝ヨーゼフ自身もその一人だった。

では、ルートヴィヒ一世の場合、何が問題だったのか。彼が入れあげた愛人は、ローラ・モンテスという。何やらスペイン人のような名前だが、こちらは芸名であり、本名はエリザベス・ロザンナ・ギルバート。彼女はイギリスの貧しい家庭に生まれ、一六歳でイギリス軍の中尉（ちゅうい）と駆け落ちした。数年後、中尉の駐屯先（ちゅうとんさき）のカルカッタで別れた後は、異国風の踊りを身につけ、ローラ・モンテスというダンサーとしてデビューした。そして蜘蛛（くも）のような動きを取り入れた「タランチュラ・ダンス」なるセクシーダンスに加え、持ち前の美貌とプロポーションで、次々と資産家や有名人を手玉に取っていった。

美人画ギャラリーに収蔵されたモンテスの肖像画。1847年。カール=ヨーゼフ・シュティーラー画

モンテスは一八四六年、バイエルンで巡業を行い、ルートヴィヒ一世に見初められる。ルートヴィヒ一世は、彼女に手当として多額の年金を与えたほか、ランツフェルト伯爵夫人の名前を与えて貴族にした。そして彼女の肖像画を、バイエルンの宮廷画家カール＝ヨーゼフ・シュティーラーに描かせ、件の美人画ギャラリーに収蔵した。ゾフィーを含むバイエルン王家の女性の肖像画も収納しているこのギャラリーに、素性の知れないダンサーは都合が悪いが、今や伯爵夫人となった女性であれば問題なし、という理屈である。

モンテスへの反発

ところがモンテスに対するルートヴィヒ一世の処遇は、バイエルン国内で総スカンを食う。まずは高額の年金や爵位を与えたことに、保守派が反発した。どこの馬の骨とも分からない女にそのようなことをされては、貴族や宮廷の品位が傷つくというものである。

一方、自由主義陣営はどうだったかといえば、これもモンテスに対して反対姿勢を強める。直接的なきっかけは、彼女が国王に働きかけて内閣を解散させたのが大きな要因だった。当時のバイエルンでは、国王が君主として主権を持つものの、憲法などによって国民の生活を守るための立憲君主制を視野に、議会や内閣は、国王の支配から独立しつつあった。そうした状況をあえて無視するかのような行動を、モンテスはとったわけである。

一方、モンテスを利用して自由主義的な傾向を拡大する動きもあった。だがそれは、自由主義陣営の中でも、急進的な学生が中心だった。穏健な市民階級は、モンテスの存在自体に引いていた。市民たちが辛苦の末ようやく得ようとしている政治的な権利、つまり議会や内閣を自分たちの意志で選ぶことにも、モンテスは口出ししているではないか、と。

ルートヴィヒ一世の失策

当初、市民階級を中心とした自由主義陣営の不満や批判は、モンテス本人に向けられた。まだルートヴィヒ一世に対しては、革命にまで至る決定的不満は薄かったのである。

だがそれも、またもやモンテスが関わる形で深刻化した。彼女は、バイエルンの学生同窓運動の代表者であったエリアス・パイスナーと性的関係を持つようになる。しかもモンテスはこの関係を通じ、腕っぷしの強さで知られる学生同窓運動のメンバーを用心棒とした上、その中から息のかかった面々を集めて、同運動の新組織を作ろうとした。

こうした事態を、ルートヴィヒ一世も、もはや見過ごすわけにはいかなかった。学生同窓運動とは、保守反動体制に弾圧されながらも地下で生き延びてきた組織である。そうした一団と自分の愛人が通じているのは、とんでもない話だった。

だがルートヴィヒ一世は、モンテスに面と向かって何かをする気もない。となれば残る道はただ一つ。学生同窓運動の本拠地であるミュンヘンの大学を封鎖し、全ての学生たちに、ミュンヘンから去るよう命令を出し、事態の鎮静化を図ろうとした。

だがこれは、中世以来ヨーロッパで守られてきた大学の自由への介入と見なされた。穏健派の市民たちも堪忍袋の緒が切れ、革命の嵐が巻き起こる。ぎりぎりの線で持ちこたえていたバイエルン国内の不満は、ルートヴィヒ一世の失策により、ついに爆発した。

そこでルートヴィヒ一世は、内心不本意ではあったものの、大学封鎖例を撤回し、モンテスを国外追放にした。議会の召集や、改革案を盛り込んだ宣言文に署名した。後手後手ではあるものの、こうした国王の決断によって、革命の炎は下火になり、ルートヴィヒ一世は何とか安定を取り戻したはずだった。

だが、ここで事態は再び思わぬ方向に展開する。モンテスが、王の命令を破り、再びミュンヘンへ戻って来た。平穏を取り戻しつつあったバイエルン国内は再び混乱した。国外追放令を破ったモンテスは警察に取り調べられる。それは彼女を寵愛してきたルートヴィヒ一世にとって、屈辱以外の何物でもなかった。

結局ルートヴィヒ一世は、王の座を降りる。彼がいかに君主の座に嫌気がさしていたかは、彼自身が物語っている。「私はもはや統治することなどできなかった。私は単なる署名係に堕ちたくはなかった。そこで私は奴隷になるのではなく、自由な人間になった」。

興味深いのが、「自由」を求める革命によって追放された王自身が、実のところ「自由」を痛切に望んでいた点だろう。彼が徹頭徹尾「私」でいられる状態とは、皮肉にも権力を失ったところにこそ成就した。

なおモンテスはその後イギリスの資産家と交際したり、アメリカに渡って一時は爆発的な人気を博したりしたものの、病に倒れる。そして貧困のうちに、ニューヨークで死亡した。三九歳の若さだった。

狭間の状況

このように、一八四八年のバイエルンの首都ミュンヘンは、上を下への大混乱だった。何しろ革命で蜂起した人々は、ルートヴィヒ一世にこれまでの様々な姿勢を改めるよう、街の中心部分にある王宮へ押し寄せたほどである。身の危険を感じた王は、一時王宮から逃げ出す。向かった先は、かなりの遠縁であったマクシミリアン＝ヨーゼフの館だった。マクシミリアン＝ヨーゼフは、常日頃の自由なふるまいで民衆から人気があったため、彼の下に逃げ込めば安心という計算が働いたのだろう。

このように一八四八年にインスブルックでフランツ＝ヨーゼフと初の邂逅を果たしたエリザベートの身辺は、混乱状態にあった。それでもマクシミリアン＝ヨーゼフの自由な暮らしぶりのお蔭で、ヴィッテルスバッハ家の本家ほどの激震を被らずに済んだことは、不幸中の幸いだった。やがて彼女は、母ルートヴィカに連れられて、姉とミュンヘンへ戻る。

さらにそこへ、自由な空気が横溢し始める。ルートヴィヒ一世の跡を継いで新たにバイエルン国王となったマクシミリアン二世は、革命の中でルートヴィヒ一世がしぶしぶ認めた様々な権利を、積極的に推し進めた。議会選挙や議会の自由化、検閲の廃止、農民の権利の認可など、それらは実に多岐にわたった。

オーストリアと比べ、バイエルンは小さな国だった。ゆえにマクシミリアン二世は特に外交の場で、バイエルンの地位の強調を図ろうとした。たとえば一八四八年、保守反動体制とは異なるリベラルな観点に基づき、将来的なドイツの統一も視野に入れたドイツ連邦の再編がおこなわれようとした。その際、マクシミリアン二世自身は国内政治において自由主義をある程度認めていたにもかかわらず、自国の存在を死守すべく、この動きから一線を画す姿勢に出た。

さらにバイエルンの一部であったプファルツでは、バイエルンから離れ、新生ドイツ連邦に積極的に加わろうという動きが出た。これに対しマクシミリアン二世は、ドイツ連邦の動向に懐疑的だったプロイセンに援軍を頼み、それを上から押しつぶした。

つまり、完全な自由主義者でも、完全な保守主義者でもない立場にマクシミリアン二世はいた。なお、貴族として伝統を守りつつ、そこからの脱却を目指す姿勢は、当時のエリザベートを取り巻く恋愛にも当てはまって来る。

エリザベートの恋愛模様

エリザベートの少女時代の恋愛には、不明な事柄も多い。ただしそれらをまとめると、次のような人間関係が浮かび上がる。

まず、エリザベートに夢中になった少年の一人が、ハプスブルク家のフランツ＝カールである。先ほども述べたように、彼は一八四八年にインスブルックでエリザベートに初めて会い、歳が近いこともあって、彼女に入れあげた。ウィーンへ戻ってから後も、遠くバイエルンにいる彼女に度々連絡をとっている。ただし、このように家柄もよく、なおかつ長男ではない人物との交際について、エリザベートは特に興味がなかったようだ。

逆にエリザベートが夢中になったのは、バイエルンの貴族、バウムガルテン家のダーフィドだった、と伝えられている。ダーフィドはエリザベートよりも一ヵ月ほど後に生まれており、エリザベートは同年齢ということでやがて彼を意識するようになった。ただしダーフィドは、一八五三年に一五歳の若さで病死してしまう。

次なる恋の相手は、リヒャルト・フォン・シャッテンシュタイン（あるいはシュヴァルツェンベルク）という、これまた伯爵家出身の若者だった。彼は実家が没落し、マクシミリアン＝ヨーゼフ家の秘書として働くようになった結果、エリザベートと知り合った。ただし、おそらくは母ルートヴィカの猛烈な反対があり、彼はイタリアへ飛ばされてしまう。なおシャッテンシュタインとの恋が破れた頃、傷心のエリザベートは、次のような詩を日記にしたためている。

サイコロは振られた／リヒャルトはもういない／弔いの鐘が聞こえてくる／ああ　私を憐れんでください　神様／小さな窓辺に／ブロンドの巻き毛の少女が佇んでいる／幽霊でさえ心動かされるに違いない／彼女が胸に抱えた痛烈な悩みには

エリザベートの恋愛には共通点が見られる。まずは、身分違いの恋である。いずれも伯爵家の人間であるが、家柄や出自ではなく、相手の魅力そのものにエリザベートが惹かれたのだろう。だがそうした恋愛は、「家」として見た時には心配の種となる。シャッテンシュタインの左遷の理由も、まさにそうしたところに根差している。

もっとも伯爵家の出身とはいえ、相手は貴族階級である。つまり、完全な庶民、さらにはモンテスのような得体の知れない出自の人間ではない。ちなみに彼女の父親のマクシミリアン＝ヨーゼフは、下々の者を自らの屋敷に招いたり、彼らの中に出向いたりした。ただし、それはあくまで公爵の余興という性格のものであり、爵位を捨てて庶民になろうという考えはなかった。貴族とそうでない者との間には、ある一線が厳然と画されており、エリザベートもそうした考え方の中にあった。

エリザベートの兄弟に見る革新性

貴族階級としての厳然とした宿命を負いつつ、進歩的な姿勢も積極的に打ち出す。この状況は、エリザベートの恋愛模様や、彼女の叔父にあたるマクシミリアン二世の内政に限られたことではない。エリザベートとは二歳違いのすぐ下の弟、カール＝テオドールも、変化を遂げつつあった時代と巧みに共存した貴族の典型的存在といえる。

カール＝テオドールは、眼科医としても有名だ。青年時代は、貴族の家に生まれた男児の伝統に従って軍務に従事するものの、途中で医学を志すようになる。やがてミュンヘンに個人の診療所を創設し、五千人以上の患者に目の手術を施した。診療所が建てられたのは、ヴィッテルスバッハ家ゆかりの離宮ニュンフェンブルク城のほど近く。現在でも高級住宅街の一画であり、ある一定以上の社会層の患者を想定していたことが分かる。

ルートヴィカと子供たち。左からゾフィー=シャルロッテ、マティルデ、カール=テオドール、マクシミリアン=エマヌエル。1860年代初頭

結婚相手も同様だ。一人目の妻は、ザクセン王国王女のゾフィーだった。彼女と死別した後、二度目に結婚した相手は、ポルトガルの王女マリー・ジョーゼ。なお彼女の父親は、ルートヴィカの初恋の相手だった、ポルトガル王ミゲルである。いずれも名家の出身で、しかも傍流の家柄の男性の相手にふさわしく、長女ではない。

なおエリザベートは、終生にわたりカール＝テオドールと良好な姉弟関係を結ぶ。それもこれも、弟の自由さと貴族としての節度のバランスに好ましさを感じていたからだろう。それに比べ、兄であるルートヴィヒ＝ヴィルヘルムとエリザベートの関係は、相当な距離感があった。六歳年が離れていたことに加え、この兄が奔放過ぎたからである。

幼少期のルートヴィヒ＝ヴィルヘルムは長男ということもあり、フランツ＝ヨーゼフもかくやというスパルタ教育を、元軍人の家庭教師から施された。それに気付いたルートヴィカは、やがてこの家庭教師を首にし、姉の嫁ぎ先であるザクセンの宮廷に彼を送って教育を積ませた。だが彼は、窮屈な運命に嫌気がさしたのだろう。一八五九年、女優と「貴賤」結婚をして家督相続権を放棄する。結局、弟のカール＝テオドールがそれを継ぐ。

さらに一人目の妻との死別後には、別の女優と再婚し、しかも最終的に離婚するという、波乱に満ちた生涯を送った。ある意味それは、父親のマクシミリアン＝ヨーゼフ譲りの、いや彼以上に叔父のルートヴィヒ一世並みの奔放な姿勢にほかならなかった。

バイエルンとオーストリア

カール＝テオドールやエリザベート、また叔父のマクシミリアン二世が立っていた、微妙なバランスで貴族を続ける状況。それは、バイエルン王国の外交にも現れていく。

一八五〇年頃からは、ドイツ北東部のプロイセンが、ドイツ語圏での権勢拡大を狙い始めていた。プロイセンの勢力拡大を前にして、バイエルンのみならず、他のドイツ語圏の国々の中でも、不安が渦巻き始めていく。

当時マクシミリアン二世は、プロイセンを密かに牽制し、バイエルンの地位向上を目指すべく、周辺のドイツ語圏の君主国と四ヵ国同盟を組んでいた。中でもオーストリアは、プロイセンを強く警戒していた。というのも、両国はとりわけ一八世紀半ば以来、犬猿の仲だったからである。

簡単に言えば、当時ハプスブルク家には男性の後継者ができなかったため、マリア＝テレジアが女性の身でありながら、ハプスブルク帝国の支配者となる。ところが同帝国の勢力衰退と、領土の一部を狙う隣国のプロイセンが、彼女の家督継承に物言いをつける。こうして両国は何年にもわたって戦闘を行った。その後も事あるごとに緊張関係が生じた。

そんなドイツ語圏を代表する二大国の間で、バイエルンを含め他の中小国家はうまく立ち回ることを余儀なくされ続けてきた。そして今や三月革命も一段落し、オーストリアとプロイセンを含め各国が内政への対応に追われる状態が終わると、両者の関係は再びドイツの覇権をめぐって、緊張を孕み始める。マクシミリアン二世は四ヵ国同盟の盟主として、プロイセンと断絶する一方、オーストリアに接近する。バイエルンとオーストリアの友好関係が、ここにきて改めてクローズアップされ始めた。

第三章　番狂わせ続きの結婚

目立たぬ戴冠式の物語ること

少し時間を戻そう。一八四八年の秋、オーストリア皇帝フェルディナント一世は騒乱の収まらないウィーンから逃亡し、チェコ西部のオルミュッツに向かう。結果、この地で彼は退位を宣言し、急遽呼び寄せられたフランツ＝ヨーゼフが、かねてからのゾフィーの画策通り、オーストリア皇帝に即位する。

即位にあたって戴冠式が行われたが、異例づくめだった。生前譲位自体が珍しいところに加え、オルミュッツという小さな町で関係者のみに囲まれ、充分な準備もなく冠が頭に載せられたからである。皇帝の権威がそこまで下がったことの証であり、帝政が弱体化したことの目に見える証拠だった。フランツ＝ヨーゼフは、皇帝が皇帝であり続けることの困難さの中で帝位を継承するという、きわめて難しい船出を強いられた。

結果、フランツ＝ヨーゼフの前には様々な難問が立ちはだかる。まずは革命で混乱するウィーン、さらには帝国全土を平定するしかない。ただしこれは、きわめて大変なことだった。というのも三月革命は、市民やブルジョア市民、労働者が手を組んで、自由を抑圧するウィーン体制を転覆しようというところから始まったからである。

だが両者は、本来対立する間柄である。つまり市民は労働者を安価な賃金で雇って働かせるだけ働かせ、労働者は搾取に喘ぐ関係だ。しかも言論・思想弾圧の大元であるメッテルニヒがウィーンから逃亡した時点で、市民としてはもはや満足だった。これで政治的に自由な時代がやってくる、と期待したわけである。

だが労働者はそれだけでは不満だった。労働者の権利が保障され、労働者が主体となった社会が確立されるまで徹底抗戦する構えだった。この動きが一八四八年八月以降に先鋭化し、フェルディナントのオルミュッツ避難の引き金となる。革命を起こした側が内部分裂する中、革命そのものが混沌としていた。

特に、市民に裏切られた労働者の怒りは大きかった。彼らは父親世代と対立する学生を中心とした市民と共闘し、過激化の一途をたどる。さらに、広大な帝国のそこかしこでくすぶっていた民族問題に火が付いた。とりわけその動きが大きかったのが、ハンガリーである。

ハンガリーは、マジャール人というアジア系の騎馬民族が作った王国であり、周辺のヨーロッパ系の諸国とは、言語も文化も異なっていた。しかも、ヨーロッパとアジアが接する地帯に国を構えていた。そのためハンガリーには、やがてハプスブルク家率いるオーストリアと、オスマン＝トルコが進出するようになった。そしてオーストリアの反撃もあってトルコがアジアへ撤退を始めると、ハンガリー全体がオーストリアの支配下に組み込まれることとなる。

もちろんそうした状況に、ハンガリーが黙って従っていたわけではない。一八世紀前半には、貴族のラコーツィ＝フェレンツ二世をリーダーに反乱が起こる。この反乱はまもなく鎮圧され、ラコーツィ＝フェレンツも亡命するものの、彼が愛した民謡がやがて「ラコーツィ行進曲」として知られるようになり、ハンガリー独立の音楽による旗印となる。

こうした状況が積もり積もって、三月革命をきっかけにハンガリーでは再び、独立を取り戻そうとする動きが活発になる。一時は、退任間近の皇帝フェルディナントの譲歩を引き出し、ハンガリー自治政府および議会まで樹立された。だがそのような事態を野放しにすれば、オーストリア帝国の一画が崩れ、帝国そのものが崩壊する可能性があった。

革命鎮圧、新絶対主義

フランツ＝ヨーゼフは、断固とした姿勢に出た。皇帝即位後、彼は革命の混乱を抑えるべく、帝国全土に戒厳令を敷いた。革命や民族運動に対して、軍隊に発砲命令を下すほどの激しい武力弾圧を加え、首謀者を次々と逮捕し、処刑する。

こうした強硬策は、若い皇帝を支えるために集結したブレーンたちの後ろ盾があってこそだった。長年オーストリア帝国の軍人兼外交官として活躍したフェーリクス・ツー・シュヴァルツェンベルクを筆頭に、国内の革命鎮圧を次々と行ったベテラン軍人のアルフレート・ツー・ヴィンディッシュ＝グレッツなど、保守派の強硬派がずらりと顔を並べていたからである。

ただし、こうしたブレーンの指示に、フランツ＝ヨーゼフが逐一動かされていたわけではない。彼は、フェルディナント一世の時代に失墜した皇帝の権威を回復すべく、トップダウン型の支配体制を敷いた。それを物語るのが、「新絶対主義」という考え方である。

絶対主義とは、フランス国王ルイ一四世のごとく、神から世界を治める権能を与えられた存在として、君主がその絶対性を誇示する政治体制のことである。もちろんそれは近代市民社会が誕生する中で、時代錯誤的と見なされた。ところが三月革命後、そんな絶対主義のあり方をフランツ＝ヨーゼフは復活させようとしたのである。皇帝の権威が失墜し、さらに帝国そのものが瓦解しかねない状況の中では、必要なことだった。

苦戦する花嫁選び

革命にまつわる騒動が武力制圧を通じ、ようやく落ち着き始めた一八五〇年代のこと。フランツ＝ヨーゼフには、母ゾフィーの作戦で、結婚話が持ち上がり始める。

その一人が、プロイセンの王女であるマリア＝アンナである。宿敵のプロイセンとの関係を強めれば、オーストリアにとって外交上の憂慮が減ることこそ、ゾフィーの狙いだった。しかもマリア＝アンナは、当時のプロイセン王の弟の娘だった。結婚が叶えば、様々な民族運動の可能性がくすぶるオーストリアにとって、外交で有利に事を運べるはずだった。

ただしこの話は、プロイセン側の反対で潰える。宿敵と手を結ぶことに反対の声が上がっただけでなく、その宿敵が内憂外患にさらされているとなれば、プロイセンにとってはおいしい話ではなかったからだ。

ゾフィーは次なる作戦として、ザクセン王国の公女であり、プロイセン王妃の縁戚にあたるジドーニエとの縁談を画策する。一旦は流れかけたプロイセンとの友好関係を、間接的でもよいから保とうという戦略である。

しかし、この結婚話も流れてしまう。ジドーニエの父親であるヨハンは、「家同士の結婚は決して子供に幸せをもたらさない」と考えていたからである。さらに、ヨハンは一八五四年に急死した兄の跡を継いでザクセンの王になるのだが、ザクセン王国の名前ゆえにジドーニエを自分の妻にと言ってくる有力貴族の要求を次々と断っていく。そうしているうちに、当時の「適齢期」を過ぎつつあったジドーニエは、二七歳でチフスを患って亡くなってしまった。

皇帝暗殺未遂事件

こうした状況が重なり、最終的にゾフィーの関心は、自らの実家ヴィッテルバッハ家に向かう。彼女にとってみれば、三度目の正直を実現させるためだった、というのがこれまでの定説である。ところが真実は、必ずしもそうではなかった。

その理由を説明するにあたって、フランツ＝ヨーゼフの身に起きた事件に触れておこう。一八五三年に勃発した暗殺未遂事件である。

当時のウィーンは、中世以来の市壁に中心街の周囲をぐるりと取り囲まれていた。市壁の目的は、外敵の侵入を防ぐためと、壁に穿(うが)たれた門のところで関税をとるためである。といっても一九世紀に入ると、兵器の発達や貨幣経済の発達を通じ、市壁は無用の長物となっていた。それでも取り壊そうという声が大きくならなかったのは、やはりこの街を都とするオーストリア帝国自体が、伝統的・保守的な国家体制だったからである。

その日フランツ＝ヨーゼフは、わずかなお供とともに、市壁の上に設けられた遊歩道から、壁の外で行われている軍事教練を「お忍び視察」していた。そこへ刃物を持った男が切り付けてくる。男はハンガリーの民族主義者であり、ハンガリーの民族運動を武力で押さえつけたフランツ＝ヨーゼフに対する恨みが募っての犯行だった。だが通行人の叫び声でフ

プロイセンの王女マリア=アンナ。1858年。フランツ=クサヴァー・ヴィンターハルター画

ザクセンの公女ジドーニエ。1854年。ヨハン=ゲオルク・ヴァインホルトおよびフランツ・ハンフシュテンゲル画

ランツ＝ヨーゼフが早めに気付いたこと、またお供の者や通りすがりの通行人が犯人を取り押さえたことから、首の後ろを少し切られた程度であり、命に別状はなかった。

それでも急所を切られたことで、発熱やめまい、一時的な視覚不良等がフランツ＝ヨーゼフを襲う。そうした中で、強硬派の新皇帝として不人気だった彼に、少しずつ同情が集まり始めた。革命を機に収拾のつかなくなり始めていたオーストリアを束ねようとしていたフランツ＝ヨーゼフが亡くなれば、今度こそ帝国は崩壊しかねない。そうなれば、帝政への不満を口にしていた者も含め、祖国喪失者になってしまう。

そうした中で、八月一八日がやって来る。この日はフランツ＝ヨーゼフの誕生日であり、通常はウィーンで祝うところを、初めてバート・イシュルで行うこととなった。

バート・イシュルは、ゾフィーがフランツ＝ヨーゼフを出産するきっかけとなった、「奇跡」の温泉地である。実際、優れた食塩水医療の地として注目を浴び、結果彼女はフランツ＝ヨーゼフ、二年後に次男、さらにその翌年に三男、フランツ＝ヨーゼフ誕生から一二年後に四男を出産した。（三男と四男の間には娘も生まれたものの、四歳で早世している）。バート・イシュルでフランツ＝ヨーゼフの誕生を祝うことは、ハプスブルク家の君主、さらには同家が治めるオーストリア帝国の存続を寿（ことほ）ぐ、政治的な行事だったのである。

見合いの意図はあったのか

フランツ＝ヨーゼフの誕生日に合わせて、ルートヴィカが長女のヘレーネとエリザベートを連れてバート・イシュルに集結した。ただしこれはあくまで、フランツ＝ヨーゼフの健康快復、ハプスブルク家の権威回復を親戚中で祝う目的である。そこでフランツ＝ヨーゼフとヘレーネの見合いの席が設けられるなど、想定外だった。

もちろん当時のゾフィーは、適齢期のフランツ＝ヨーゼフにふさわしい未来の花嫁を探している最中だった。またそのため、ルートヴィカが娘たちを伴って彼の誕生祝いにやってきた点で、「お見合い」の要素が完全になかったかは分からない。だが、ゾフィーとしては、自分の姉妹が一堂に集う名目で、姉のエリザベート＝ルートヴィカ、つまりはプロイセン王妃をその場に招き、一度は暗礁に乗り上げたプロイセンとの関係修復を再度図ろうと考えていた。となると、ルートヴィカもその娘たちも、あくまでフランツ＝ヨーゼフの誕生祝いの客人であり、ゾフィーの外交作戦のおまけという位置付けだった。

それにもかかわらず、フランツ＝ヨーゼフがそうした場で、いきなりルートヴィカの娘を見初めた上に、求婚してしまった。しかも相手は、長女のヘレーネではなく、まだ一五歳だったエリザベートだった……。これは非常に思い切った、と言おうか、とんでもないハプニングである。特にこれまで、フランツ＝ヨーゼフに様々な画策を行い、それを実現させてきたゾフィーにとってみればそうだった。

フランツ＝ヨーゼフは幼い頃から、未来の皇帝として、伝統と格式に則って様々なことを進めるハプスブルク家の流儀を叩き込まれてきた。そのような彼が、いきなり異例の行為に出た。ゾフィーとルートヴィカも大いに狼狽(ろうばい)した。

いくらバイエルンのヴィッテルスバッハ家の血を継いでいるとはいえ、ルートヴィカはともかくその娘たちは、傍系中の傍系である。結婚から生まれる政治的なメリットはほとんどない。強力な婚姻関係によって帝国の拡大と維持を行ってきたハプスブルク家の歴史を顧みる時、この結婚はあまりにも無益なものだった。しかも、ルートヴィヒ一世に代表されるように、ヴィッテルスバッハ家の血の中には精神的な病があることも、同家の出身者であるゾフィーは重々承知していた。

圧倒的な支配者の「自由意志」

フランツ＝ヨーゼフの結婚の決意は、あまりにも意外であり、政治的利点もなかった。ゾフィーが彼に対し、エリザベートとの結婚を諦めるよう迫った、ともいわれる。

ただしここで、君主としてのわが子の権威を高めるべく、ゾフィー自身が「新絶対主義」

の確立に手を貸していたことが、逆に彼女の首を絞めた。つまり、たとえ相手が恩義ある母であり、権威ある皇太后ゾフィーであろうと、フランツ＝ヨーゼフの力は絶対だった。またそうした権能を帯びていたからこそ、彼は自らの意志に従って結婚を敢行した。

「自らの意志に従う」、これは、市民階級にとっては喝采すべき姿勢である。彼らの中では、自由に生きることへの渇望が高まっていた。そうした渇望を皇帝自らが成し遂げた。ましてや結婚が、自由を求める市民階級の中ですら、家と家との結びつきを強めるための手段と見なされている状況下ではなおさらだった。

そう考えると、フランツ＝ヨーゼフのとった行動は、市民的だった。ひたすら高圧的にふるまってきたかのように見える皇帝が、意外にも自分たちと同じ感覚を持っていると、市民たちは悟る。暗殺未遂事件で同情が集まっていたところに、こうしたフランツ＝ヨーゼフの姿勢は、彼を毛嫌いしてきた下々の者たちの関心を呼びさました。

フランツ＝ヨーゼフの誕生日の翌日には、エリザベートとの婚約の報を聞きつけたバート・イシュルの市長ヴィルヘルム・ゼーアウアーが、祝いの言葉を述べるべく、彼の下を訪問する。ゼーアウアー家は代々バート・イシュルの名士であり、ゾフィーらがこの街に来る時には自らの邸宅を貸し出すほど、結びつきも強かった。ただしその一族は別段貴族ではなく、市民だった。つまり市長をはじめとする市民にとって、フランツ＝ヨーゼフが自由

バート・イシュルの中心街の風景。右側から数えて5つ目の黄色い建物（バート・イシュル市長の邸宅、現在は市立博物館）で二人の婚約がおこなわれた。1840年。ルドルフ・フォン・アルト画

バート・イシュルの近郊を馬車で行く婚約直後のフランツ＝ヨーゼフとエリザベート。1853年頃。ヨハン＝エルトマン＝ゴットリープ・フェルステル画

意志によって婚約者を定めた出来事は、単なる社交辞令を超えて寿ぐことだった。

一方のエリザベートにとって、フランツ＝ヨーゼフからの求婚はどのようなものだったのだろう。彼女は数日間で、彼からの求愛を受け入れた。ただしそれは、確たる準備や覚悟があってなされたものではない。フランツ＝ヨーゼフの妻になることは、必然的に、揺れ動くオーストリア帝国の皇后になることである。

美しい植物を求めて

エリザベートは婚約当初から、笑ったかと思うと泣いたり、喜んだかと思うと塞いだり、激しい感情の起伏を示し始める。これも、彼女が「恋愛」と「地位」の間に激しく引き裂かれていた証といえよう。それでも、「恋愛」にまつわる強い憧れが、一時的にせよ「地位」に勝った結果、彼女はフランツ＝ヨーゼフの求婚を受け入れたと考えられる。

実際エリザベートの中には、見果てぬ憧れがかねてから存在したようだ。彼女が五〇歳を迎えた年にしたためた詩が、それを物語る。

『植物』
もう五〇年になる／素晴らしい植物を探し始めてから／本当はそれら

を束ねて花輪（クランツ）を作りたいのに／でも！　一度も見つけた例しがない！
子供の頃から探していた／故郷の野原に／そこにはたくさんの美しい
花が咲いていた／でも　探しているものはどこにも見つからなかった
まだ私は若かった／そして異なる世界へ赴かなければならなかった／
そこで私は苦しみを味わい／辛いホームシックに襲われた
それから以前よりも懸命に探し始めた／素晴らしい薬草を／私の痛み
に対して／慰めと回復をもたらしてくれるような
私は昼も夜もそれを探した／村にも町にも／騙（だま）されてもいいとすら考
えた／偽物であっても
私はよく言われた　注意された／たかが植物じゃないかと。／でも
ああ！　輝きが違った／結局は作りものにすぎなかった

五〇年間探して／私も少しは賢くなった／それはどこにも育っていない／どこの山にも　どこの谷にも

それが育っているのは遠いメルヘンの世界……／伝説の国から／この世に決してもたらされることはなく／だからこそその植物は有難い

エリザベートの中にあった「究極の幸せ」を求める想いが、フランツ＝ヨーゼフからの求婚に合致する。ただしそれは偶然の産物、番狂わせだった。そしてこの番狂わせが、婚約当初からエリザベートを不安定な状態に追い込んでいく。彼女が本当の意味で「私」の憧れを手に入れるには、あまりにも幼すぎたのだから。

婚約時代のエリザベートの公式ポートレートの1つ。1853年。フランツ・ハンフシュテンゲル画

第四章　動乱の時代の新皇后

エリザベートの「若さ」と「美貌」

エリザベートは歴史の表舞台に一挙に躍り出た。そのおかげで、フランツ＝ヨーゼフもさらに人気を回復できた。

その最大の理由こそ、エリザベートが類まれなる美貌の持ち主だったことにある。もちろん「美しい」お妃は、これまでもハプスブルク家の歴史の中に少なからず存在した。ただし今回は、その「美しさ」も「若さ」も別格であった。しかも、エリザベートをめぐる人気は、当時の人々が抱いていた期待に見事に合致していたからである。

かつてであれば、一五歳程度で結婚する女性は、特権階級のみならず庶民の間にもたくさん存在した。男性も、成人年齢は低かった。医学が未発達だった時代には出生率が低く、子供たちを早く社会の中で有用な人材として用いることが重要視されたからである。

そもそも現在でいう「子供」の概念は希薄であり、子供はしっかりと教育を施されて大人になるべし、という考え方が存在しなかった。つまり、子供は大人の予備軍だった。だが、一八世紀の終わりから変化が起こり、現在のような子供観が作られていった。

つまりエリザベートが一五歳そこそこで結婚したことは、一九世紀の半ばとしては、かなり異例だった。「幼な妻」とは言わないまでも、その若さは「適齢期」のお妃以上に人々の関心を引いた。

さらにその「美貌」である。経済力を蓄えつつあった市民階級は、「お洒落」や「美」への関心を高めていく。財産や時間に余裕ができる中で、いかに美しく見せるか。それは単に服飾だけではなく、顔のつくりそのものへの関心にも及ぶようになった。

マスメディアが作り出す話題と基準

「お洒落」や「美」への関心が喚起されるためには、一定の報道が必要だ。貴族に代表される特権階級であれば、そこには国や地域を越えて確たる情報ネットワークが伝統的に形成されており、それに従えばよかった。たとえ政治的に対立している地域間や国家間であっても、そうした情報共有はある程度以上なされていた。ハプスブルク家に代表されるように、婚姻関係を通じて特権階級間のつながりが保たれていたからである。

だが市民階級は、元々出自も考え方もばらばらな人間の集まりである。そこで、彼らの共通意識を作るべく登場したのがマスメディアだ。しかも現在と同様に、政治的な事柄だけでなく、ファッションやゴシップも取り上げられた。ましてやフランツ＝ヨーゼフが新絶対主義を掲げる中、政治的な事柄が当局公認のものしか掲載できないとなれば、ファッションやゴシップこそが格好のテーマとなった。

こうして、新聞や雑誌は、「美のモデル」を求めるようになる。またそうした美の基準に則(のっと)って、読者もまたそれぞれの美のイメージを確立していく。ただしそうした「モデル」は主に、女優やダンサーといった女性たちが多く、「身持ち」や「高貴さ」の点では疑問符が付く場合が多かった。

だがエリザベートは、れっきとした貴族である。しかもそこには、皇帝のフランツ＝ヨーゼフが魅了された美貌、という話題が必ずついて回る。しかも当初は、エリザベートがどれほどの美貌なのかはよく分からないまま、その噂だけが先行したほどである。

「親しまれる皇族」を目指して

こうした状況は、現代にも通じる現象を生み出す。皇族の「アイドル化」だ。

たとえば、フランツ＝ヨーゼフの婚約者として周知するべく、エリザベートの公式な肖像画が描かれた際、彼女はじっと座っていられなかった。結果、徐々に機嫌が悪くなった彼女を、フランツ＝ヨーゼフがなだめた、というエピソードさえ残っている。また、エリザベートがバイエルンからオーストリアへ輿入れした際のこと。ウィーン近郊のヌースドルフで、ドナウ河を下ってきた特別汽船から彼女が降りると、その姿を一目見ようと群衆が押し掛けた。エリザベートは、想定外の事態にとまどい、パニックを起こしてしまう。

これらのことが物語るのは、後年のエリザベートのように、美貌を含めた自分自身の姿をいかに効果的に民衆に見せるかという戦略が、彼女自身の側にまだなかったことである。ただし民衆の側はむしろ、皇族を親しい存在と見なすようになっていた。またハプスブルク家の側も、それを戦略的に実行してきた。

たとえば、フランツ＝ヨーゼフの先々代の皇帝にあたるフランツ一世の場合である。彼はメッテルニヒ体制を容認した保守的姿勢の持ち主だった。その反面、当時少しずつ頭角を現していた市民階級のような質素な服を、自身だけでなく家族にも着せ、農家風の東屋でくつろいだり、その様子を絵に描かせて一般の人々に自らの庶民性をPRしたりした。このPR方法はフランツ＝ヨーゼフの代にも受け継がれ、屋外で撮影した庶民的な家族集合写真が、折に触れて公開されるようになる。

そうした作戦の結果、一八四八年の革命に対する矛先は、ハプスブルク家の支配ではなく、むしろメッテルニヒら政治家に向けられた。つまり同家の君主は、帝国の支配者であり、国民統合のための象徴的存在だった。だからこそ彼らは、下々の者から一目置かれると同時に、親しまれる存在でなければならなかった。

ハプスブルク家に対する尊敬の念が、市民階級の側に根付いていったのはなぜか。それは一八世紀半ば以降、マリア＝テレジアやヨーゼフ二世といった統治者がこの家の当主だったことが大きい。彼らは外国勢力の攻撃からオーストリアを守ったり、上からの改革を通じ、成長著しい市民階級に活躍の場を与えたりした。

これらは市民階級との共存を図ることで、ハプスブルク家の支配の延命を図ろうというものだった。逆に市民の側にも、自分たちに寄り添った政治を行ってくれる存在、というイメージが生まれる。さらにフランスのように、革命を起こして王政を倒しはしたものの、混乱状態に陥りたくない、というバランス感覚も働いた。

「美貌の新皇后」の効果

一方新皇帝となった当初から、フランツ＝ヨーゼフは市民との関わり方につまずいた。革命を武力で終息させ、新絶対主義を掲げたからである。それでも、皇帝即位から五年経った頃から、戒厳令を徐々に緩めていく。さらに暗殺未遂事件で同情論も広がる中、彼は自らの意思で美貌の婚約者を選び取り、国民全体に愛される君主へと舵を切る。

となれば、フランツ＝ヨーゼフを魅了した「美貌」の皇妃への好奇の眼差しは、報道の自由とゴシップ的な関心の伸長を通し、前の時代に比べて格段に増大していた。実際、エリザベートがウィーンに到着してから、華燭の典を挙げるまでの一挙一動は、当時の新聞にイラスト入りで紹介されている。ただしそれは、かなり美化されたものだった。エリザ

エリザベートのウィーンへの輿入れの様子、大勢のお供とともに左手前にはおびただしい群衆の姿が見える。1854年

アウグスティーナ教会での挙式の後、人々に歓待される二人

ベートがこれら一連の格式ばった式典に心底疲れ切ってしまった、などといった実情は全く伝えられていない。つまり、一種の検閲付き記事ではある。

だが多くの記事が出回ったことは、いかに一般の人々がこの結婚に興味を持ち、「絵になる花嫁」を求めていたかの証だろう。ゾフィーの思惑に反しフランツ＝ヨーゼフが自分の意見を押し通した出来事のように、エリザベートの美しさは、ウィーンに新たな風をもたらしてくれる（かもしれない）象徴的な存在とすら見なされていく。

こうした状況は、ハプスブルク家の側にとっても好ましいものだった。新絶対主義に基づくトップダウン型の政治をフランツ＝ヨーゼフが打ち出しているからこそ、揺れ続ける帝国を一つにまとめていくためには、「愛される皇室」を演出する必要がある。それには、マスメディアの力が必要だった。

そこで重要なアイコンとなるのが、エリザベートである。「美貌」の王女を国外からめとって来るだけの力を、まだハプスブルク家は宿している証になるからだ。

実際、絵画から抜け出てきたほどの美人ということになれば、それだけで世間は盛り上がる。そのことを当局の側も十分意識した上で、マスメディアの結婚フィーバーを黙認し、助長する作戦に出た。そうすれば、国内に鬱積する様々な不都合から、人々の眼差しを巧みに逸らすことも可能となる。

居場所を失う新皇妃

ただしエリザベートの側にとって、こうした一連の慶事は、やがて凶事と化す。それは、フランツ＝ヨーゼフへの不信、ハプスブルク家との決定的な溝、居場所を求められず漂泊する日々という、影に覆われた彼女の人生を形作っていく。

たとえば、フランツ＝ヨーゼフとの結婚後も、ハプスブルク家の一員として訪れた、かのバート・イシュルでのことである。アルプスに囲まれ、温泉まで湧くリゾート地で、彼女は次のような詩を書いている。

『夕暮れ』
私は山から下りてきた／陶酔し　茫然（ぼうぜん）となりながら／私はある考えに至る／神がいかにその言葉を書かれているのかを
鋭く切り立った岩角から／聖なる書物の声が聞こえてくる／それは氷の中に閉じ込められ／雪に閉ざされていたのに

夕暮れの地平線に／神の言葉が佇んでいる／目を凝らそうとしても／
この場所からは見えない

突然　炎のような赤い光が／眩く輝き　照らし出す／ほとんど目をく
らまされ／私は顔を覆う

これはこの世の太陽ではない／それは天の玉座から／光を注ぐ／目も
くらむような光線だった

深い物思いに耽り私は下って来る／もみの木の暗がりに足を踏み入れ
ながら／心は神の歌で満たされ／私はそれを心に留めて家へ帰る

からすが喚き声を発すると／心の飛翔は鈍り／ベッドの上で横になっ
ていても／眠りを妨げられる

人々の歌声が聞こえる／笑い　おしゃべりをしている／彼らがそうし

ていることが／私を深く傷付ける

平和で楽しいはずのバート・イシュルにおいてさえも、彼女は居場所を失っている。たとえ神の声に導かれることがあったとしても、それすらいち早く消え去る。賑やかな夜の集いでさえ、苦痛以外の何物でもない……。

そのようなエリザベートの孤立は、果たして単に彼女の周囲の「無理解」や「いじめ」だけの問題だったのだろうか。むしろ、そうならざるを得ない事情があった。

エリザベートとゾフィーのすれ違い

エリザベートは、それなりに啓蒙主義的改革、さらには近代的な改革が進みつつあったバイエルン王国の出身だった。さらに王家の傍流の次女であったため、貴族とはいえかなり自由な暮らしをしていた。とはいえハプスブルク家の皇后となったからには、もはやそうした暮らしはありえない。

実際エリザベートは、ウィーンに輿入れしたと同時に、召使いたちに囲まれて生活することを余儀なくされる。これも、ハプスブルク家を守っていくために必要な伝統だった。通常の感覚では考えられない規模と内実を具えた超越的な宮廷。またそうした宮廷を維持するためには、そこに仕える者たちを欠くことはできなかった。

彼らがポジションを失うことは、それだけでハプスブルク家が権威を失うことに等しかった。いくらエリザベートが自分のことは自分ででき、大人数の召使いは必要ないと訴えても、到底受け入れられなかった。

ここに、エリザベートの悲劇が始まる。姑のゾフィーにとっても同じだったといえよう。ゾフィーは気配り上手であり、エリザベートともよりよい関係を築けた可能性は十分にあった。だが、エリザベートがゾフィーについていけず、そこに両者の不仲が始まったという見解が、近年の研究では出始めている。実際、フランツ＝ヨーゼフとエリザベートが結婚式を挙げ、ウィーン郊外のラクセンブルク城でハネムーンを送っていた時、ゾフィーは自分がそこに行かない理由を次のように書いている。「若い二人の親密な時間を邪魔してはいけません。フランツは、これまでと同じようにどこにでも一緒に行こうと言ってくれる。それはそれで大変嬉しいのですが、もはや難しいでしょう」。

一方でこの時のことを、エリザベートは後年語っている。「私は一日中独りぼっちで、ゾフィー皇太后がいつやって来るかと不安だらけでした。というのも彼女は毎日のように訪ねてきて、私が何をしているのか四六時中見張っていたのです。私はこの邪悪な女性に慈悲を請いましたが、彼女は私のやることなすこと、全て気に入らなかったのです」。

エリザベートは、ゾフィーと宮廷からの干渉に不満を募らせていた。だがゾフィーにとってみれば、皇后となったエリザベートのために、ふさわしい環境を率先して整え、自分が手助けしていくべきだ、と考えるのは当然だった。

エリザベートを取り巻く女官たち

それが顕著に出たのが、エリザベートを取り巻く召使いである。もちろん彼女にとっては、全員見知らぬ顔ばかり。伝統的なハプスブルク家のしきたりをエリザベートに教え込み、皇妃にふさわしい存在にする狙いが共有されていた。

筆頭女官を務めたのが、奇しくも姑と同じファーストネームを持つ、ゾフィー・エステルハージ＝リヒテンシュタイン侯爵夫人だった。彼女は、名門貴族リヒテンシュタイン侯爵家の出身。やがてハンガリーのエステルハージ侯爵家の出身であり、オーストリア軍の総司令官を務めたヨハン＝ヨーゼフ・フォン・リヒテンシュタインと結婚する。

エルテルハージ家は、オーストリア支配に対し不満を抱くハンガリー貴族が多い中、親ハプスブルク家寄りの姿勢を示し続け、同家の政治や軍事に不可欠な名門貴族だった。ウィーンの中心街にも大きな屋敷を持ち、一族の館で作られていたオリジナルケーキは「エルテルハージ・トルテ」という名前で、現在でもウィーンを代表する銘菓となっている。

夫婦に子供はおらず、彼女は三〇代後半で夫と死別した後、ゾフィーの女官となり、そこで信頼を勝ち取る。やがて、エリザベートの女官長として白羽の矢を立てられ、彼女にしきたりのイロハを叩き込むこととなった。これが、エリザベートとの確執を生む。

最初の例こそ、ハネムーンである。というのもそこに、女官長が付いていったからだ。新婚旅行に第三者が付いて行くのは、貴族の伝統からすれば当たり前のことだった。家に入ってきた嫁にその家のしきたりを結婚当初から教え、嫁自身が粗相をしでかさないようにすることこそ、彼女と家に対する配慮だったからである。

だがエリザベートにとっての結婚とは、家同士ではなく恋愛による結びつきだった。しかもそこに、彼女の意に沿わない宮廷作法の強制があるとなれば、なおさらである。

エリザベートと女官長との確執は、一八六〇年まで続くこととなる。旅を行う場合でも、皇妃は皇帝と一緒という原則が存在し、そこに必ず付いていくのが女官長の務めだった。ウィーンを離れた旅先にあっても、エリザベートのストレスは増すばかりであった。

「私」をめぐる意識の違い

ある意味庶民的な感覚を持つエリザベートと、それとは全く異なる価値観の女官長、さらには夫であるフランツ=ヨーゼフとのすれ違い。これが彼女にいわば適応障害をもたらし、その後の人生を大きく陰らせていく。

それは、エリザベートの新婚初夜から起きた。この時、エリザベートはフランツ＝ヨーゼフと一体になれなかった。だがこのことを翌朝、ゾフィーに訊かれたらしい。しかも質問の場が、彼女をはじめフランツ＝ヨーゼフの親族たちがずらりと顔を並べた朝食の場だったことで、エリザベートは深く傷つく。

子供を作ることが皇后の何よりの務めであり、どのような場や時においても公人であるべきだ、という考えがゾフィーの側にあったことは言うまでもない。彼女自身そのようにしてハプスブルク家に嫁ぎ、その中で力を伸ばし、皇帝の母である皇太后の地位を獲得することで、ようやく自己実現を果たした。ただしそうした自己実現は、あくまで「公」を考慮に入れてこそ成し遂げられるものであり、「私」の領域にこだわっていては、起こりえないものだった。

フランツ＝ヨーゼフにとっても、家族生活も含め、全ては「公」の要素を具えているのが普通だった。彼がエリザベートとの婚約で自らの主張を貫けたのも、皇妃をめとるという「公」の目的が存在したためである。

「私」というもののない状態……。それは、ヨーロッパの伝統的な宮殿の内部構造にも見られる。城の主である君主やその親族が暮らすエリアは、部屋と部屋とが直接扉一枚を隔てつながっている。部屋同士のプライバシーが保たれる構造ではない。しかも主(おも)だった部屋の裏側には、お付きのものが四六時中控える空間が設けられている。

もちろん、このような宮殿の構造自体にエリザベートが不慣れだったわけではない。ただしそうした空間に、見知った親族や従者がいるのであればともかく、ウィーンではそうではなかった。そもそも実家にいた頃は、女官長などという仰々しい従者もいなかった。

だが、今や「皇后／皇妃」となったエリザベートには、宮殿中の眼差しが注がれている。となると、ハプスブルク家のしきたりに意識的に飛び込み、それに合わせようとしない限り、様々な孤立感に苛(さいな)まれるのは当然だろう。とはいえエリザベートは文字通り、「三月革命前夜」の子供であった。そのことを考えると、彼女の中に芽生えていた「私」の概念と、全てを「公」に塗り潰そうとするしきたりが衝突するのは必至だった。

「中立」を続ける皇帝

フランツ＝ヨーゼフは、「新絶対主義」を掲げる一方、国家の公僕(こうぼく)として働き続けた。エリザベートに婚約を申し込んだ際も、バート・イシュルでの誕生日祝いを早々に切り上げ、ウィーンへ戻ったのはその一例である。結婚後も、昼間は公務に勤(いそ)しんだ。エリザベートにとっては、自分が一人取り残されている、という意識を持つこととなる。しかも取り残された自分の周囲にいるのは、女官長とそのチームである。そんな彼女の孤立感は、結婚早々に起こったクリミア戦争によって、より加速した。

当時バルカン半島では、長年にわたって勢力を誇ってきたオスマン・トルコが弱体化し、ヨーロッパ列強がこの地を狙い始めていた。特にロシアはその筆頭であったが、一国だけで動くのは困難なため、オーストリアを抱き込もうとした。

結論から言えば、フランツ＝ヨーゼフは中立を保った。ロシアを牽制すべくトルコの味方をしたのが、イギリス、フランス、サルディーニャ王国という強力な布陣だったからである。となると、うっかりロシアの誘いに乗れば、背後からイギリスとフランスに攻め立てられる。またそれを見た帝国内のハンガリーなどの反乱分子が、一挙に反旗を翻しかねない。

だがこれは、ロシアにおいてはオーストリアに対する不信感の元となる。そしてこれが、後々、オーストリアとロシアの微妙な関係に影を落としていく。

浮世離れした嫁姑問題

何もしないというフランツ＝ヨーゼフの姿勢。それは、彼の家庭に対しても同様だった。外交が風雲急を告げる中で、家庭もまた、一挙に緊張の度を増しつつあった。つまりは、妻であるエリザベートと、母であるゾフィー、さらにはその背後にいる、家臣をも含んだ伝統的なハプスブルク家の関係の悪化だった。しかも外交問題と同様、家庭問題も、あちらを立てればこちらが立たない状態に陥っていく。

ただし、フランツ＝ヨーゼフを取り巻く緊迫した外交状況を微塵（みじん）も感じさせないほど、エリザベートの周囲は浮世離れしており、宮廷内の嫁姑問題のみが浮き彫りとなった。またそれでよかったのかもしれない。世間の騒ぎなど隔絶するかのように超越的な存在感を示すことこそが、ハプスブルク家の矜持だったのだから。

浮世離れした状況は、エリザベートの出産にも見ることができる。彼女は一八五五年、長女ゾフィーを第一子として出産する。もちろんその名前は、姑であるゾフィーへの、さらにはハプスブルク家の宮廷という権力への「忖度（そんたく）」の中で付けられた。

こうした「忖度」、あるいは「妥協」は、養育の場面でも同様だった。エリザベートは、自分の手元で子供を育てたいと望んだものの許されなかった。ハプスブルク家の直系の血を継ぐ子供は、たとえそれが女児であろうとも、並の人間が受けるような養育ではだめなのである。子供は生後すぐに母親から引き離されて、乳母が育てるのがしきたりだった。しかもその乳母を含めて何人もの養育係がおり、それらを統括しているのが女官長だった。

一方、エリザベートには、第二の国家元首として公式行事に出席したり、皇帝とともに外遊したりすることが期待された。いきおい彼女から子供を養育する機会は奪われ、それは一八五六年に生まれた次女のギーゼラの場合も同様だった。なおギーゼラは終生エリザベートに懐くことはなかったが、これも皇女と皇后の関係では珍しくはなかったのである。

変化の狭間に苦しむエリザベート

そんな実情からか、ハプスブルク家はあえて、親密な雰囲気のフランツ＝ヨーゼフ一家を写したポートレートを公認する。そこには、エリザベートが苦しんだしきたりは微塵も見られない。愛を基盤とする近代市民社会の家族の姿に合わせたように、フランツ＝ヨーゼフもエリザベートも彼らの子供たちも、さらにはゾフィーも登場している。そうしなければならないほど、家族のあり方は近代に入って大きく変わりつつあった。

その狭間に、エリザベートは板挟みとなった。それは、エリザベートの結婚に母ルートヴィカが密かに危惧（きぐ）していた通りだった。彼女は、ハプスブルク家からバイエルンに輿入れした親戚筋のアウグステに、次のような手紙を書いている。

「親愛なる貴女へ。ひょっとするとこの手紙を読む前に、私のシシィが皇帝の花嫁になることをご存じかもしれません。ここでは、たった二つのことだけをお伝えしたく思います。この出来事は途方もない慶事ですが、私があらゆる人々から耳にして心乱されている

抱かれているのは長男ルドルフ、手前は次女ギーゼラ。額縁の中には夭折した長女ゾフィー。1858年。ヨーゼフ・クリーフーバー画

フランツ=ヨーゼフ（後列左から2番目）一家の仲睦まじそうな集合写真。フランツ=ヨーゼフの手前にはエリザベートが皇太子のルドルフを抱いている。その右隣はゾフィー。1859年。ルートヴィヒ・アンゲラー撮影

ように、きわめて大変で困難な状況でもあります。彼女は若すぎます。経験がなさすぎます。しかし、この偉大な娘に周囲が配慮してくれることを望みます」。

エリザベートの若さも経験のなさも、皇妃でなければ許されうるものだったかもしれない。さらには近代的家族観が芽生えていく状況の中では、かえって彼女の存在が、古いしきたりを変化させる原動力となる可能性も十分にあった。

だが実際には、ルートヴィカの心配したエリザベートの弱点が、ハプスブルク家の宮廷で軋轢（あつれき）を生んでいた。その上、エリザベートの周囲にいる誰も、そのことに配慮してはくれなかった。あるいはたとえ配慮があったとしても、それはルートヴィカ、ましてやエリザベートの望んだ形ではなかった。

第五章　「美貌」と「療養」による反逆

ハイネへの共感が物語ること

エリザベートは、音楽をはじめとするハプスブルク家の文化政策からも大きく外れた存在だった。これまでも挙げてきたように、彼女は数多くの詩を書いている。その手本となったのは、ハイネをはじめとするロマン派の詩人の作品だ。

そんなハイネへの陶酔を物語る証言がある。エリザベートの三女にあたるマリー＝ヴァレリーが、一八八七年八月二三日に記した日記である。

「ママは私に、自作の素晴らしい詩を読み聞かせてくれた。だが、その詩は決して簡単な内容ではなかった。叔父のガッケル（カール＝テオドール）でさえ、詩の一篇を読んでとても美しいと評したものの、あまりにも極端な考えにはまりすぎていること、またその中にママがどっぷりとつかって生きているのではないか、と忠告した。というのも叔父にしてみれば、ハイネと魂の交歓ができるとママが思い込んでいることは、結局のところママの神経を刺激しすぎ、結果的にママが『壊れてしまう』のではないか、と考えたからだ。でも、確かにママがしばしば驚くほど激高してしまうことを除けば、私としては詩を作ることがママにとっての幸せなのだと思う。……ママは私にそっと打ち明けてくれたのだが、ママが詩を作るのは、ある至高の目的があるためなのだ。その目的は非常に素晴らしく、ゆえにママは幸福に包まれながら、後世の役に立つ努力を行っているのだ。……それは何とも、奇妙な人生である。ママの思考は過去に向かっており、その努力ははるかな未来を向いている。今ここにある現実は、ママにとっては存在感を失った影絵にしかすぎない。誰もママが詩人であるなど気付いていないことに、ママは最大の誇りを抱いている。でも、実にしばしばママは私に語ってきた。私だけがママを現実の生活に結びつけてくれる存在なのだ、と」。

　この証言は、いくつかの意味で興味深い。まずエリザベートの実弟であるカール＝テオドールが心配するほどまでに、彼女が非現実な美的世界に耽溺（たんでき）していたという点。さらには、ハイネとの魂の交歓云々（うんぬん）が語られている点である。つまり彼女にとってハイネへの共感は、自らを現実とは異なる世界へと連れて行ってくれるものだった。それどころか、交霊術に近いような傾倒ぶりを示している。

　こうした非科学的な、いわばオカルト的な行動は、エリザベート一人だけのものではなく、一九世紀という近代科学全盛の時代に、密かに見られるものだった。しかもオカルトへの志向は、必ずしも近代科学へのアンチテーゼではなく、近代科学と表裏一体の存在を成していた。たとえば一九世紀の発明品の典型ともいえる写真は、その誕生当時から「真実を写す」だけでなく、普段人間の目には見えない霊を映し出す、「心霊写真」の歴史と軌を一にしてきた。

ハイネもまた、「個人の目覚め」という動きが活発化する中で、詩作や政治活動を行った人物である。そうした意味では、彼もまたヨーロッパ近代の立役者の一人にほかならない。だが当のヨーロッパ近代自体が、そうした個人の意識を支える理性や科学一辺倒ではなく、「幻想」「非現実」といったものを具えていたとすれば……。

このことを考える時、文字通りヨーロッパ近代の最中を生きたエリザベートの中にその傾向が現れたのは、ある意味当然ではないか。彼女は近代的な感覚を十分すぎるほど具えていたからこそ、宮廷の抱える前近代的な価値観に苦しみ傷ついた。またそれゆえ、ハイネとの交霊術にはまり、現実を犠牲にしてまで「個」の世界に入ろうとした。

ただし、エリザベートが没頭した詩作は、あくまで彼女の私的な営みであり、それを公開して国民統合に役立てようというものではなかった。一方ハプスブルク家が目指してきた文化政策は、その反対である。つまり同家の文化的な力を国内外に示しつつ、文化の下に国民を統合し、同家の安泰を図る。何しろ、元々アルプス山中出身の腕っぷしの強い貴族にすぎなかった同家が、急速に領土を拡張し、積極的な結婚政策を展開できたのも、ヨーロッパ中の名だたる貴族が認める文化政策を展開できたためだった。

ヨーロッパには、文化力があってこそ一流の君主であり、その支配下に一流の国家があ

ハイネ記念碑。エリザベートが、彫刻家のエルンスト・ヘルターに1888年に委嘱したもの。元々はハイネの故郷デュッセルドルフに建立予定だったが、この街で反ユダヤ主義が高まったため、最終的にニューヨークに設置されることとなった。ハイネの代表作「ローレライ」をモチーフとしている。1906年以前

エリザベートの懐中時計。お守りのチャームをつけている

る、という考え方が強固に存在する。軍事力や経済力も確かに国を強くするためには重要だが、国を光り輝かせ、誰もが認める存在となるためには、文化力が必要だ。この姿勢にハプスブルク家も従った。とりわけ音楽は、様々な言語を超え、不特定多数の人々に瞬時に訴えかけることのできるメディアとして、同家の得意ジャンルだった。帝都ウィーンが「音楽の都」として、今なお有名なゆえんである。

ところがエリザベートは、音楽鑑賞にはほぼ興味を示さなかった。それはフランツ＝ヨーゼフやゾフィーが、芸術文化政策の象徴たる宮廷劇場にしばしば姿を見せることで文化政策を重んじる皇族の姿を広く示し、国民統合を行っていこうとしたのとは対照的だった。

このような意味合いでも、エリザベートはハプスブルク家の政治姿勢とは合わない女性だった。それは「芸術文化」が、皆で楽しむための「集いの場」から、個々人が深刻な顔をして沈潜していくためのメディアと化していった一九世紀への変化を、端的に象徴していたのかもしれない。ただし「私人」であればさして問題のない後者の姿勢も、「公人」たる皇后となった途端に、不都合なものとなる。

一方、ゾフィーは皇太后として、エリザベートの尻拭いをし続けた。たとえばハプスブルク家の文化政策の象徴である宮廷劇場（ケルントナー門劇場、ブルク劇場）に事あるごとに足を運び、ロイヤルボックスからその姿を劇場に集った人々に見せた。さらに一九世紀後半、この二つの劇場の後継施設となる宮廷歌劇場、新ブルク劇場が落成した時のこと。本来はエリザベートがフランツ＝ヨーゼフとともに開場記念公演に赴くべきところを、彼女が出席をキャンセルしたため、その務めをゾフィーが果たさなければならなかった。

このように考えると、エリザベートとゾフィーとの対立の原因は、ゾフィーにのみ帰せられるものではあるまい。両者の間の人間関係の確執というよりも、皇妃が行うべき任務をめぐる見解の相違がもたらした問題だった。

北イタリアの訪問に向けて

そうした状況の中で、エリザベートにとって転機となる出来事が起きる。その最初の機会が、一八五六年の北イタリア訪問だった。「視察」に近い皇帝の北イタリア公式訪問だったが、そこに皇后であるエリザベートが同行した。

オーストリアが多くの部分を支配してきた北イタリアを中心に、当時、独立運動の気運が高まっていた。フランツ＝ヨーゼフにとって、クリミア戦争の終結後、すぐさま北イタリアを訪問することは、この地での反オーストリアの空気を抑え込むことにあった。

一方のエリザベートは、女官長や、皇太后ゾフィーとの度重なる確執により、肉体的にも精神的にも追い詰められていた。そこに、ウィーンを逃げ出す願ってもいないチャンスが飛び込んできたのである。

しかも、大義名分があった。フランツ＝ヨーゼフの腹心の大臣であるアレクサンダー・フォン・バッハが、皇帝夫妻揃っての北イタリア行きを望んだからである。

このバッハの経歴だが、実に複雑だ。彼は元々、リベラル派の弁護士であり、一八四八年の革命の際にも、言論の自由を求める市民の側に立った。だが、革命の破綻と失敗の中で保守化し、フランツ＝ヨーゼフの掲げる新絶対主義をサポートする政治家に転身する。

このようなバッハが、エリザベートが北イタリア視察に同行するよう、フランツ＝ヨーゼフに進言する。というのも、ハプスブルク家の支配に不満を募らせる北イタリアの人々に対し、「ハプスブルク家はこのように新風を入れている」という姿勢を強調するために、エリザベートの存在は理想的だったからだ。冷血な堅物（かたぶつ）と思われてきたフランツ＝ヨーゼフが「自由意志」に従って妃を選び取った行動は、自由を求める革命のようなものだった。しかも旧時代の権化のようなゾフィーに対して、新皇后は度々反発をしているという。

北イタリア訪問にあたり、フランツ＝ヨーゼフは当初、軍事制圧も辞さぬ強硬姿勢で、この地に乗り込むつもりだった。だがそのようなことをすれば、再び戦争の危機が高まり、オーストリア側が負ける可能性もある。強硬姿勢を取らず、彼がエリザベートと訪問することで、緊張関係も和らぐというものだ。

そこに加え、エリザベートが慣例を破って、幼いゾフィーを旅に連れて行きたいと言い出したことも、政府としては反対の余地のないものだった。「子育てをしながら外交も行うファーストレディ」というイメージが打ち出せるからである。もっともこれに対しては、フランツ＝ヨーゼフが暗殺を免れるためにわざと子連れ外交をしたのではないか、という非難が、特にイタリア側から起きたほどである。

「美貌の伝説」を検証する

こうして、フランツ＝ヨーゼフはエリザベートを伴い、北イタリア訪問の旅に出かける。それは、常に穏当な状況の下で行われたわけではない。アドリア海に面した港町トリエステでは市庁舎の前で爆発が起きたり、乗船する予定の船に装飾された歓迎用のシャンデリアが、皇帝夫妻の到着直前に落下したりした。しかも、彼らは出向く先々で冷遇され、イベント会場ががらがらということもあった。

それにもかかわらず、エリザベートの「美貌」、さらにフランツ＝ヨーゼフに政治犯の恩赦を含めた寛容な対処を勧めた彼女の姿勢に、北イタリアの人々は心動かされていく。そして、反ハプスブルクの機運が徐々に薄らいでいったと伝えられている。だが、それだけで、北イタリアの人々が突然柔軟になるものか。

となると、もう少しひねった視点から考える必要がある。先のクリミア戦争で、フランツ＝ヨーゼフは中立を決め込み、ロシアの味方をしなかった。それだけで、ロシアを警戒しているサルディーニャ王国の人々にとってみれば悪い話ではなかった。

また北イタリア訪問中、皇帝夫妻がミラノを訪れた時のことである。この街には、一八四八年のイタリア独立運動を鎮圧したオーストリアの老元帥、ヨーゼフ・ラデツキーがロンバルディア＝ヴェネトの総督として君臨していた。彼の名前は、ヨハン・シュトラウス一世の『ラデツキー行進曲』で知られている。オーストリア人にとっては英雄、逆にイタリア人にとっては不倶戴天（ふぐたいてん）の敵のような人物だった。

だが、このラデツキーに、フランツ＝ヨーゼフは丁寧なねぎらいの言葉をかけつつ、年金を渡す。つまりフランツ＝ヨーゼフは、とりわけ北イタリアでは評判の悪いラデツキーを引退させたのだった。

こうした根回しに加え、フランツ＝ヨーゼフの北イタリア訪問の方法が、さらに人々を軟化させる。彼が「子連れの旅」を行ったことは、イタリアの独立運動の中心となっている市民階級にとって、それなりに共感できるものだったからだ。強面（こわもて）のイメージのあるフランツ＝ヨーゼフが、実は彼らと同じライフスタイルで、同じ価値観を共有している、というPRになったからである。

エリザベートが美貌の持ち主であったことも、当然プラスに働いた。たしかに彼女は、近代社会の担い手となった市民の好みに合うような美人だった。豊満よりもスリムであることを重視し、重々しい威厳よりも儚ささえ漂う面立ち。加えて宝飾やメイクに頼らず、ナチュラル・ビューティーを志向している点も、裸一貫から身を起こしてきた市民階級にとっては好ましいものだった。

ハンガリー旅行での事件

一八五七年、エリザベートはさらなる計画を実行に移す。それは、政情不安定なハンガリーを、フランツ＝ヨーゼフと幼い二人の娘たちを伴って訪問することだった。そしてこのハンガリーこそ、エリザベートにとって、共感を寄せるべき重要な対象となっていく。

だがこの旅の最中で、ゾフィーとギーゼラが激しい下痢（チフス）に見舞われ、ゾフィーは亡くなってしまった。エリザベートのショックは、計り知れないものがあった。それでも重要なのは、この時期にエリザベートがハンガリーへ赴いたことである。そこには、北イタリア以上に政情不安定な地を、何としてでもオーストリアと融和させたいという切望が存在していたのではないか。だからこそ、娘が亡くなった地という哀しい思い出を乗り越える形で、エリザベートのハンガリーびいきは、この後も強まっていく。

そもそも、エリザベートがハンガリーに対する意識を強く抱くようになったのは、フランツ＝ヨーゼフとの婚約後、花嫁修業の一環としてオーストリア史全般の講義を受けたことに始まる。講師は、フランツ＝ヨーゼフが送り込んだ歴史学者ヨハン・マイラートである。彼は浩瀚（こうかん）な歴史に関する知識を、テキストやノートに目を落とすことなく滔滔（とうとう）と説き、エリザベートの母ルートヴィカを驚嘆させた。彼は、オーストリアの領土だったハンガリーについても語り、エリザベートを魅了する。

実はマイラート自身、親ハプスブルクの立場にあったハンガリー人である。メッテルニヒが宰相を務めていた当時は、ウィーン宮廷のメッセンジャーとして、オーストリアの意向をハンガリーに伝える役割を担っていたほどだった。ここからも分かるように、彼は普通の外交官でありながら、メッセージを効果的に伝えられる文学的才能にも長（た）けており、歴史書の他に詩集も編んでいる。

なおマイラートは、一八四八年にハンガリーで起きた革命には、否定的な見解を抱いていた。この革命は、法治の主体である君主に歯向かう非合法的な騒動だ、というのが彼の意見だった。また彼は、革命に際して財政危機に陥ったウィーンの宮廷を支援した。このようにマイラートは、穏健派あるいは保守派のハンガリー人として、ハンガリーの誇りは失わず、同時に、ハプスブルク家が支配する巨大国家の一翼を担う存在であり続けることがハンガリーにとっての理想的な道である、という考え方を持っていた。

こうしたマイラートの見解に、エリザベートも大きな影響を受けた。そして彼女自身、「対ハンガリー」ではなく、穏健融和的な「親ハンガリー」の立場で、ハンガリーに臨もうとした。またそれが、かつてハンガリーを武力鎮圧したフランツ＝ヨーゼフに対する、ハンガリーでの否定的なイメージを塗り替えていった。

「穏健融和」の政治姿勢への影響

「穏健融和」、これは一八五〇年代後半以降顕著になってくる、フランツ＝ヨーゼフの政治姿勢とも結びつく。しかもエリザベートとの婚約や彼女の存在が、武力鎮圧や反乱者の処刑もいとわない冷血漢といったイメージを徐々に和らげた。

たとえばハンガリーへの第一回目の訪問の時点から、エリザベートはハンガリー産の馬を巧みに乗り回し、民衆の心に「親ハンガリーの皇妃」というイメージを喚起した。また彼女は、貧民院や救護院を率先して訪ねた。これは彼女の意志というよりかは、皇后は慈善事業を行うべしという宮廷の作法に基づくものであり、社会変革を行うためのものではなかった。だが、そこでも「弱い者に共感を寄せるエリザベート」というイメージが徐々に生まれるようになる。

加えてフランツ＝ヨーゼフが一八五七年に出した勅令が、人々の関心を呼び覚ます。それは、暗殺未遂事件の現場となった古い市壁を取り壊し、ウィーンを大改造するものだった。壁の跡地に環状道路（リング通り）を造り、道路の周囲には官公庁や文化施設を建て、余った土地は裕福な一般市民に売却する、という一大プロジェクトであった。

これは、資本主義社会が本格的に到来する中、物や人や情報を円滑に動かし、大規模な経済活動ができる近代都市へとウィーンを変身させることを意味していた。しかもそれは、当時急速に力を伸ばしつつあった市民階級を積極的に活用するための決断だった。

ただしこのプロジェクトも、新絶対主義へのこだわりの中で行われた。下々のための政策の一環であったにもかかわらず、フランツ＝ヨーゼフは彼らに口を挟ませまいとしたからである。またそうした意味で、彼は自らが絶対的な存在であろうとし続けた。

二つの敗戦

「新絶対主義」的なフランツ＝ヨーゼフが、それでも当時新興著しい市民階級のために新たな政策を打ち出す。一見「旧い」主義主張の中に混在する「新しさ」。それは、エリザベートも同様だった。皇妃として宮廷を基盤としながらも、ゾフィーとの確執の中で、当の宮廷から出ようとする動きそのものが、旧い世界に身を置きながら、新しい生き方を希求する当時のフランツ＝ヨーゼフの動きと重なった。

当時、エリザベートの苦しみはさらに続いていた。一八五八年、ハンガリーへの旅で長女ゾフィーを失った苦しみを乗り越え、待望の男児ルドルフを出産したにもかかわらず、今度こそ自分の手で彼を育てたいという願いは、ゾフィーによってあっさりと退けられた。というのも、王宮内のエリザベートの居室は、日当たりがよくなかったからである。ルドルフを健康に育てるためには日当たりのよい部屋で、養育のプロに委ねるのが一番だ。ゾフィーなりの判断だったが、エリザベートは心身を害してしまう。

一方フランツ＝ヨーゼフを含む宮廷にも、エリザベートをいたわる余裕はなかった。またしても北イタリアとの間に、きな臭さが高まってきたからである。フランスの後ろ盾を得ているサルディーニャ王国が、フランスと連合軍を組んで、オーストリアと一戦を交えることとなった。一八五九年に起きた、ソルフェリーノの戦いである。

フランツ＝ヨーゼフもオーストリア軍の指揮を執るべく北イタリアへ赴いた。一方のフランスも、皇帝ナポレオン三世が、サルディーニャ王国の君主ヴィットーリオ・エマヌエーレ二世と並んで、前線に赴く念の入れようだった。

ところがフランツ＝ヨーゼフには誤算があった。フランスの台頭を恐れるドイツ地方の国々が、オーストリアの味方をしてくれると考えていたが、そうはならなかったからである。

ドイツ語圏でオーストリアと並ぶ雄は、よい関係にあるとは言えないプロイセンであった。さらにクリミア戦争時にオーストリアが中立したことで、ドイツ語圏の国からのオーストリアに対する信頼が失墜していた。

このような状況の中で、戦いの火ぶたが切られる。結果は、フランスとサルディーニャの連合軍の勝利、オーストリア軍の惨敗に終わった。

サルディーニャ王国が勝利したことをきっかけに、イタリア各地では独立運動が再び活発になった。ついには一八六一年にサルディーニャが主導権を握る形で、イタリア王国が誕生する。イタリアの多くを長年支配してきたオーストリアにとっては、そのほとんどの地域を失う衝撃的な結末となった。

「結核」と「自然」

こうした状況の中、エリザベートはさらに孤立していく。フランツ＝ヨーゼフは近隣諸国との関係に苦慮しており、エリザベートが望む「家庭的な」交わりなどはなかった。

そうした中でフランツ＝ヨーゼフは、貴族の女性はもとより、女優や召使いとのアヴァンチュールを楽しむようになる。フランツ＝ヨーゼフの弟マクシミリアンに仕えていたアントン・グリルという人物は、宮廷内部に展開された秘密の女性関係について次のように

心身ともに体調を崩している様子が垣間見えるエリザベート。1860年頃

語っている。「皇帝陛下の寝室を、美しいご婦人方が訪問した。彼女たちは秘密の通路を通って部屋に入り、また姿を消したのである。不適切な関係かもしれないが、そうしたご婦人方が陛下のお望みに従って、数えきれないほど用意されたのだ」。

ついにフランツ＝ヨーゼフとの関係も崩れる中、一八六〇年にエリザベートは激しい咳（せき）に見舞われ、医師の見立てでは「結核」という診断が下された。実際この頃の彼女を撮った写真では、憂鬱な表情や面やつれした顔、自慢の髪の毛の分け目が広がっている。

ちなみに「結核」は、一九世紀的な病である。産業革命や消費革命を受けた急速な近代化によって、都市にはたくさんの物が溢（あふ）れかえり、物質的経済的繁栄が生まれた。だがその一方で工場から出るばい煙や工場廃棄物は、都市の空気や河川といった自然環境を汚染した。そしてさらには、都市部の市民階級をはじめとする人々の健康を脅（おびや）かし始めた。こうしてもたらされた「文明病」の典型が、「結核」だった。

当時はまだペニシリンが発見されておらず、対処法は転地療法しかなかった。特に注目されたのが、「豊かな自然」である。かつて自然は、人間に恵みをもたらす反面、時に人間に襲い掛かる恐ろしい存在と見なされてきた。だが一八世紀以降、啓蒙主義や自然科学の広まりの中で、人間が理性的な知恵を持って臨めば克服できる、そしてついには、自然こそが都会生活で疲弊した人間に心身ともに安らぎをもたらしてくれる、と考えられるようになった。ここに、「転地療法」を掲げたエリザベートの逃避行が準備されていく。

ルートヴィカの反応

この状況を受けて、母ルートヴィカはどのように反応したのか。

意外にも、彼女はすぐに見舞いに行っていない。長女ヘレーネの出産が迫っていたからである。ヘレーネはエリザベートがハプスブルク家へ輿入れをした四年後の一八五八年、トゥルン・ウント・タクシス家のマクシミリアン＝アントンと結婚する。同家は近世以降、ヨーロッパ中央域に郵便網を整備し、貴族に叙せられた有名な一族である。ルートヴィカとしてもヘレーネが嫁ぐには文句のつけようのない家柄だった。

一方、一八五五年にエリザベートが初産(ういざん)を迎えた際、ルートヴィカは彼女を見舞っていない。当時ミュンヘンではコレラが流行っていたため、ルートヴィカは子供たちを連れてポッセンホーフェンに避難していた。夫は相変わらずあてにならず、しかも末っ子は当時五歳。こうした状況の中で、駆けつけるわけにはいかなかったのである。

ヘレーネが出産を終えた後の一八五九年、ルートヴィカはエリザベートをシェーンブルン宮殿に見舞う。だがその様子を、三女のマリー＝ゾフィー＝アマーリエに報告した手紙の内容は、拍子抜けするようなものだ。「喜ばしいことに、シシィの様子は生き生きとしています。肌も、結婚後未だかつてないほど輝いています。皇帝陛下もお元気で、予想に反し朗らかなご様子です」。もちろんここで「予想に反して」と書いているように、イタリアをめぐる情勢が風雲急を告げていることは、ルートヴィカも感じ取っていた。「ウィーンの雰囲気は、私たち……特に召使いたちが聞くところによると、きわめてよくないとのことだ」。

それでも、エリザベートが意外にも健康であると知り、ルートヴィカは安心して帰路に着いた。それゆえにエリザベートが翌年転地療法に出るという知らせは、彼女に衝撃をもたらす。「シシィが旅に出るという知らせは、私にとって大きな苦痛です。ひどい驚きです。というのも、彼女は特にここに到着した当初は少し咳をしてこそいましたが、転地療法などと必要ないように思えたからです。（…）彼女がほとんど自分をいたわらず、自分自身のよい本性を信頼していないのが残念でなりません」。

ルートヴィカの狼狽ぶりが伝わるが、それは単にエリザベートの体調を心配した、というだけではあるまい。貴族の家に生まれた女性であり、さらに子供も生まれた以上、結婚生活を放棄することが、ルートヴィカには受け入れがたいことだったのだろう。

その後、転地療法を決意したエリザベートがフランツ゠ヨーゼフに付き添われてミュンヘンにいるルートヴィカを訪ねると、様子は変わってくる。「シシィは昨年の夏よりも痩せて、体調こそ悪くはなさそうだが、そう元気なわけでもありません。咳が目立ち、回数も増えているため、暖かい地での転地療法が必要という意見は分かります」。

ここでもルートヴィカは、エリザベートの転地療法に一種の理解は示しているものの、エリザベートにとって、簡単に逃げ帰ることのできる存在ではなかった。

マデイラ行きの不思議なルート

こうしてエリザベートは、外国での保養の旅へ、途中からは家族とは完全に離れてお供の者だけと出かける。その行き先は、大西洋のただ中に位置するマデイラ島だった。

なぜマデイラ島だったのか。オーストリア領内にも優れた保養地はたくさん存在するが、フランツ＝ヨーゼフや宮廷の人間が見舞いに来ることを避けたかったのだろう。あるいはフランツ＝ヨーゼフの弟で、自由主義的な考え方の持ち主だったマクシミリアンが、マデイラへ行った感動を語っていたことに影響されたという説もある。

エリザベートは、複雑な経路をたどってマデイラ島に赴いた。ポルトガルのはるか西側、大西洋の中の孤島ゆえ、本来はフランスのマルセイユから出発するのが定番だった。だが北イタリア問題をめぐるフランスとオーストリアとの関係悪化を懸念したためか、彼女はこのルートをとらなかった。地中海（アドリア海）にもオーストリアの海軍の軍艦が多数停泊していたが、こちらも利用しなかった。北イタリアへの刺激を避けるとともに、オーストリアが関係する諸事に関わりたくなかったのだろう。

そこでエリザベートは、まずミュンヘンに赴き、その後ドイツ各地を経由して、ベルギーのアントワープを目指した。ミュンヘンからドイツの一都市であるバンベルクまでは、ルートヴィカとフランツ＝ヨーゼフが、さらにはネルトリンゲンまでは姉のヘレーネが付き添った。ちなみにベルギーといえば、マクシミリアンの妻シャルロッテの実家であるベルギー王の君臨する国だ。そこにイギリスのヴィクトリア女王の王室専用ヨット「ヴィクトリア・アンド・アルバート」（アルバートはヴィクトリア女王の夫の名）が停泊中であり、女王がエリザベートにこれを貸し出した。

エリザベートとヴィクトリア女王は、頻繁に会っていたわけではない。両者の対面が実現するのは、一八七四年にエリザベートが乗馬のために渡英した時のことである。しかも、イギリスとオーストリアとの関係は、直接の利害関係は少なかったとはいえ、決して良好ではなかった。イギリスはこれまで何度もプロイセンの後ろ盾となっており、オーストリアにとっては気の許せる相手ではなかった。

逃避行がもたらす親善外交①

ベルギーやイギリスと関係するこの不思議なルートは、エリザベートの保養旅行をきっかけとした活動の産物とも考えられないか。もちろん、それをフランツ＝ヨーゼフが望んでいたかどうかは別の話である。また彼女自身、この時ヴィクトリア女王によるイギリスへの招待を断っている。そういった具合に、いわゆる皇室外交のやり方ではなかったが、彼女は夫やウィーンの宮廷から離れることで、逆に独自の外交を展開するきっかけを作った。

さらにマデイラにオーストリアの皇后が足を運ぶことは、たとえ病気療養のための私的訪問であったとしても、何かしらの公的な色彩を帯びる。しかも一七世紀後半から現在に至るまで、マデイラは名実ともにポルトガル領である上、ポルトガルとハプスブルク家の関係には、切っても切れないものがある。

一六世紀後半、ハプスブルク家は領土拡張政策の中でスペインにも手を伸ばし、スペイン系のハプスブルク家が樹立した。またその中で、ポルトガルも同家に支配されるようになる。一七世紀末にスペイン系のハプスブルク家自体が断絶したことで、ポルトガルは一応独立を回復するものの、その後もヨーロッパの大国からの干渉を度々受け続けた。

そうした中で一八二八年には、ポルトガルの植民地だったブラジル王家出身のミゲルが、オーストリアの後ろ盾を得てポルトガル王に即位する。ただし彼は保守反動的な強権政治を敷いたため、内戦が起こり、早くも一八三四年には王位を追放されて亡命する。そしてヨーロッパ各地を転々とした後、ヴィッテルスバッハ家の傍系の女性と結婚し、生涯を終えた。つまり、ミゲルは、エリザベートの遠戚だった。

なおこの後、ポルトガルの王にはヴィクトリア女王の従兄であるドイツ語圏の小国の貴族の血を引く人物が就き、イギリスとポルトガルとの関係は密接になる。ヴィクトリア女王がエリザベートにマデイラ島行きの船を貸し出した理由の一つも、ここにある。

そう考えると、エリザベートのマデイラ訪問は、政治的な事柄とは離れたところでイギリスはもとより、ポルトガルとオーストリアの友好関係を創り上げた。しかも、過去のしがらみに囚われているフランツ＝ヨーゼフではなしえない親善外交を、宮廷の因習から逃れ出ようとしたエリザベートが一人で成し遂げてしまった。なおマデイラ島への航海は大嵐の中で敢行されたが、エリザベートは逆にそれを楽しんでいた。彼女はウィーンの宮廷での束縛から解き放たれ、私生活や外交面でも自由に振るまい始めたのである。

マデイラ島でマンドリンを弾くエリザベートと女官たち

逃避行がもたらす親善外交②

マデイラ島での転地療養の甲斐あって、エリザベートの健康は少しずつ回復する。翌一八六一年には、当時まだオーストリア領だったイタリアのトリエステを経由してウィーンへ戻るものの、再び体調が悪化した。そして今度は、ギリシアのコルフ島へ療養に赴いた。

エリザベートの出身地のバイエルンとギリシアは、緊密な関係にあった。ギリシアは長らくオスマン・トルコの支配を受けてきたが、一八二一年に独立を達成する。それが可能になったのも、地中海からバルカン半島へ勢力拡大を目論むヨーロッパ列強が、まずはこの地からトルコの勢力を一掃しようとしたからである。

こうしてヨーロッパ列強、特にイギリス、フランス、ロシアは、自分たちの言いなりになる傀儡(かいらい)君主(くんしゅ)をギリシアに送り込もうとする。そこで白羽の矢が立てられたのが、バイエルンのヴィッテルスバッハ家だった。政治的には様々な対立を秘めたこれらの国にとって、中立な立場で、しかも彼らの脅威になる存在ではなかったからだ。

この時ギリシア王に即位したのは、時のバイエルン王ルートヴィヒ一世の次男であるオットーである。彼はオソン一世として即位したが、やがて傀儡王を望まない人々からクーデターを起こされ、バイエルンへ逃げ帰った。

このように、当時のギリシアはきわめて政情不安定な状態にあった。そんな中、彼の親戚筋のエリザベートがコルフ島に赴く。しかも彼女はお忍びで、コルフ島でのイギリス軍の演習も見学しているほどなのだ。様々な外交問題に直面しているオーストリアにさらなる厄介事をもたらす行動だが、逆にエリザベートが一人でオーストリアとイギリスの私的外交を取り持っていたともとらえられる。

ハプスブルク帝国を取り巻く世界情勢は、困難な舵取りを迫られていた。たとえばエリザベートの妹であるマリー＝ゾフィー＝アマーリエが王妃として嫁いだ両シチリア王国は、イタリア独立戦争が高まる中、親オーストリアの王国として攻撃にさらされ、一八六一年に陥落する。だが、もはやフランツ＝ヨーゼフは義妹のいるこの国をどうすることもできず、マリー＝ゾフィー＝アマーリエは夫と亡命の途につく。そうした中で気ままな逃避行を送っているかのように見えるエリザベートの方が、よほど柔軟な外交を展開していた。

ギリシアへの旅

エリザベートは今や逃避行のための格好の口実を発見した。つまり「健康」を言い出せば、相手が誰であろうが、何も言い返せなくなる。健康が人間にとって不可欠であるという近代的価値観には、伝統を遵守するハプスブルク家の人々ですら逆らえなかった。

ギリシアへの旅は、エリザベートにとって大きな解放感をもたらした。暗い世界に沈潜するかのような詩を書いている彼女も、ギリシア行きとなると打って変わる。後年コルフ島へ赴くにあたり、トリエステを船で出発した時の作品である。

『目覚め』
重苦しい霧に囲まれた夢から目覚め／青い波に目覚め／白い波しぶきを浴びながら／カモメの群れに囲まれる
私は翔(か)ける　アドリア海を／今日向かう先は南／夢に見たあの島へ／花々に囲まれ　最後に見た夢
今もまるで／甘い夢の中に沈んでいるかのようだ／広大なサファイヤの上で／その輝きの中に呑み込まれているかのようだ
長い間願っていた　このように夢見たいと／思い煩(わずら)いのない夢／波に巻き付くかのような／夢

第六章　新時代の皇妃

北イタリアとの共振・共犯関係

一八六一年、コルフ島滞在の後、エリザベートはヴェネツィアに再び赴いているが、この年には、三月にイタリア王国の樹立が宣言された年である。つまりオーストリア支配への反感が、最高潮に達している頃だった。しかも今回は療養のための非公式訪問で、お供や警護の数も少なく、暗殺や襲撃の可能性も高まっている。さらに彼女が宿泊したのは、前回に続き在ヴェネツィアのオーストリア総督が構える邸宅に設えられた「カイザー・アパートメント」という、オーストリア帝国支配の名残を色濃くとどめた部屋だった。

きわめて危険な状況だったにもかかわらず、エリザベートがヴェネツィア訪問を強行した背景には、この街との密かな共犯関係が見られるだろう。彼らはともに、ハプスブルクの保守本流に反発する存在だった。またそこから、エリザベートに対する同情、あるいは共感がヴェネツィアの中に広がっていたことも考えられる。

実はこうした共振・共犯の関係性が、イタリア統一後のヴェネツィアとオーストリアの関係を、辛うじて保たせていく。おそらくは、フランツ＝ヨーゼフ自身、およそ考えもつかないような形で……。

当時のフランツ＝ヨーゼフは、施政の転換を迫られつつあった。たとえば一八六一年の二月に発布されたオーストリア帝国憲法である。オーストリアにも立憲制を、という動きは、一八四八年の革命ですでにあった。だがそれも、フランツ＝ヨーゼフが掲げた新絶対主義により、遅々として進まなかった。

だがいくら新絶対主義に固執したところで、オーストリアをめぐる国内情勢は安定しない。とりわけソルフェリーノの戦いに負けたことで経済状態が悪化し、市民階級の不満は高まった。もちろんフランツ＝ヨーゼフとしても、彼らを敵に回すのは得策ではない。ウィーンの都市改造に関する勅命も、市民への対応の軟化姿勢を示すものだった。

結果フランツ＝ヨーゼフは、自らのアイデンティティーともいえる新絶対主義を取り下げる。と同時にそれは、勅令を通じて自由主義的な憲法が生まれる、新絶対主義の最後を象徴する皮肉な出来事だった。もはやトップダウンによる決定権すら発揮できなくなる中、彼にとって「私」を生きることなど、望んだところで手に入れられない夢物語と化していく。

バート・イシュルでの最後通告

同様のことは、家庭でも起こりつつあった。

エリザベートは足掛け二年にわたる「療養」の期間を経て、一八六二年にウィーンへ戻って来る。新憲法をフランツ＝ヨーゼフが認めざるを得なくなった、まさに一年後のことだ。

エリザベートがウィーンで再び生活を始めると、皇太子ルドルフの養育をめぐり、フランツ＝ヨーゼフ（あるいはその背後にいるゾフィー）との相違が徐々に深刻化した。

ルドルフはフランツ＝ヨーゼフの跡取りとして、オーストリア帝国の次期皇帝となるべき運命にあった。だからこそ、自分以上のスパルタ教育を施す、というのがフランツ＝ヨーゼフとゾフィーの思惑だった。結果、六歳を迎えると、ルドルフは姉のギーゼラと引き離され、将来の皇帝を育成するための環境に置かれる。

個人教師には、レオポルト・ゴンドレクール伯爵が就任した。彼はフランスからオーストリア軍に仕官した経歴の持ち主で、オーストリアのフランス人というコンプレックスをバネに元帥まで上り詰めた人物である。その容赦ないスパルタ教育は、元々病弱かつ繊細で知的だったルドルフの神経を痛めつけることとなる。

伝統的にこうした教育は、貴族の家庭では珍しくなかった。しかもそうした教育法によって子供の健康が損なわれることは、本人の責任と考えられていたのである。だがエリザベートは、このままではルドルフは病気になってしまうと、わが身の経験を通じて感じていたのだろう。結果一八六五年、彼女はバート・イシュルにおいて、子供の養育を全て自分に託さないのであれば、ここから出ていくという含みを持たせた最後通告をフランツ＝ヨーゼフに叩きつけた。具体的な文面は、次のようになる。

「子供に関する一切の事柄、つまり彼らの環境の選択、彼らの滞在場所、教育上の全ての指導に関する事柄について、私に全権を委任すること、つまり彼らが成年に達するまでには私に全てを委ねていただくように希望します。さらには、私の個人的な状況に関する事柄、つまり私を取り巻く環境、私の滞在地、家庭に関する変更の全てを私に委ねてくださるようにも希望します」。

これはフランツ＝ヨーゼフにとって一大事だった。彼にとって「家庭」とは、「家（イエ）」、ハプスブルク家、さらにはオーストリア帝国の根幹であった。だが、それが危機に瀕している。フランツ＝ヨーゼフは、ここでも妥協を迫られ、彼女の要求に屈した。

エリザベートの美しさや奔放さに惹かれ、自らの意志で結婚するというリベラルさを持つ一方、家庭でも新絶対主義的な姿勢を捨てられなかったフランツ＝ヨーゼフ。その姿勢は、教育の失敗がもたらしたルドルフの神経衰弱という、夫婦の問題に直接には関係のない要因を通じて揺るがされる。それは、北イタリアの喪失が遠因となり、自由主義陣営から追い詰められたこととも重なる状況だ。彼の家族への姿勢もまた、新絶対主義的な家父長権威の優先から、家庭の優先へ切り替えを余儀なくされていった。

新旧交替の時代

それはいわば、新旧が交差、あるいは交替する瞬間であった。そしてこの瞬間に、エリザベート自身、「私を生きる」日々を、ようやく手に入れることができた。

端緒は、バート・イシュルでの最後通告に遡る数年前、療養の旅に出た際に起きた、女官の交替である。まず、エリザベートにとって蛇蝎のごとき存在だった女官長がマデイラ行きの同行辞退へ追い込まれた。もはやそこまでついて行くだけの体力も気力もないことが理由だったが、エリザベート自身それを見越して、僻地での療養を選んだともいえよう。

ただしこの時はゾフィーの要請もあって、女官長はウィーンに残された子供たち、ギーゼラとルドルフの世話を行うようになる。また翌年、エリザベートがコルフ島滞在後にヴェネツィアに赴いた際には、彼女を迎えに来たフランツ＝ヨーゼフに同行する形で、子供たちを連れて面会する。だがエリザベートと女官長の間にいさかいが起き、そのストレスで彼女のウィーン帰還が先延ばしされる事態を恐れたのか、フランツ＝ヨーゼフは、一八六二年の初頭に女官長を解任。同年エリザベートは、ようやくウィーンへ戻る。

一方で、マデイラ島にエリザベートが連れて行ったのは、当時二二歳だった彼女とほぼ同い年の女官たちであった。このようにして、エリザベートは差し迫った健康問題を武器に、自らの身辺に新風を招き入れる。「健康の重視」という新たな価値観をバネに、エリザベートは因習からの解放を少しずつ実現していった。

さらに一連の旅を通じ、エリザベートが比較的信頼を置いてきた、フランツ＝ヨーゼフの臣下へも態度を豹変させていく。たとえば最高宮内庁長官を務めたカール・ルートヴィヒ・フォン・グリュンネは、権謀術策を駆使し、フランツ＝ヨーゼフとはもちろんのこと、ゾフィーともエリザベートとも良好な関係を築いていた。

だがそんなグリュンネとの関係も、コルフ島の滞在中に急激に悪化する。きっかけは、フランツ＝ヨーゼフがグリュンネをコルフ島へ送ったことにあった。グリュンネはエリザベートに対し、可能な限り早くウィーンへ帰るよう説得したが、それがエリザベートの逆鱗に触れ、グリュンネに絶縁を宣告する。それもまた、人に指図されることを拒否し、「私」を生き始めたエリザベートの、旧い人間関係との決別だった。

折しもウィーンでは、都市改造が進み、中世以来の古い市壁や門が急ピッチで取り壊されていく。中心街のそこかしこには解体および建設工事用のやぐらが組まれ、新たなウィーンを出現させるための槌音が響いていた。古びた鎧を脱ぎ捨てて、新たな衣をまとい始めた帝都で、新興階級の市民たちが「私」を確立していった時代。そんな時代の風は、古い鎧の象徴のような宮廷にも、エリザベートの行動を通じて吹き込まれていた。

ハンガリー語の取得が物語ること

エリザベートは長期療養旅行から戻ってから、ハンガリー語を積極的に学び始めた。エリザベートが雇い入れたハンガリー語の教師は、マクシミリアン・ファルク。ハンガリー出身のハンガリー＝ユダヤ系のジャーナリストで、ハンガリー議会の議員を歴任する一方、ハンガリーとオーストリアのさらなる融和を唱え続けた。つまり重要な政治家でありながら、安心して宮廷に招き入れられる穏健派として、最適な存在だった。エリザベートはファルクから、ハンガリーの歴史や習俗、政治等も学び、ハンガリーに対する総合的な知見を養っていく。

エリザベートは新婚時代にかけて、貴族階級の伝統的共通語であるイタリア語やフランス語を完全には習得できず、宮廷の物笑いの種にされた。だがファルクの指導もあり、ハンガリー語は短期間のうちに完璧にものにした。つまり、彼女に語学の才能がなかったわけではなく、熱意や関心に大きく左右されたのだ。

エリザベートにとって、ハンガリー語習得のきっかけは、ハンガリーの文化や景色に魅了されたことだった。彼女は、花嫁修業中にかき立てられた魅力的なハンガリーのイメージを、最初の訪問の際に見出した。またハンガリー産の名馬を駆り、平原を心いくまで疾走することは、ウィーンの宮廷では味わいえない、自由の瞬間であった。

だがそれ以上に、長年にわたってオーストリアに支配されている民に、オーストリアで虐げられているエリザベートが共感を覚えたことは大きい。ハプスブルク家の宮廷では、ゾフィーをはじめ旧世代の人間の多くが、ハンガリーを危険視したり蔑視したりしていた。となればなおのこと、彼女にとってハンガリーは、肩入れすべき対象となっていく。

しかもエリザベートを抑圧した女官長が、皮肉にもハンガリーと縁の深かったことを顧みる時、エリザベートがハンガリー嫌いにならなかった点は重要である。つまりエリザベートは、ウィーンの宮廷に巣食う「親ハプスブルク」のハンガリー人よりも、ハンガリーで大勢を占めているはずの「反ハプスブルク」、あるいはファルクのように穏健派であっても、そうした人々に密かな共感を寄せているハンガリー人をこそ優遇した。

もちろん、ハンガリーだけでなく、「反ハプスブルク」の機運が渦巻く地は、帝国内の各所に存在していた。それにもかかわらず、エリザベートが激しく共感した地は、最終的にイタリアではなかった。イタリア、特にヴェネツィアはエリザベートにとって憧れの地ではあったものの、イタリア自体が一八六一年に独立を果たしていたからである。そうでなくてもイタリアは、元々古代ローマ帝国の栄えたヨーロッパの中心であり、文化面でも一八世紀に至るまで、ヨーロッパの中心であり続けた。つまりイタリアはエリザベートにしてみれば、ハンガリーのように自分の境遇を重ね合わせるにふさわしい存在、守らなければならない、か弱い存在ではなかったのである。

チーム・エリザベートの結成①

宮廷の古参メンバーを次々と切っていったエリザベートは、その後釜にどのような人事を行ったのか。女官には、イーダ・フォン・フェレンツィという人物が、一八六四年に雇い入れられる。その身分は、当初「皇后陛下の朗読係」というものだった。

フェレンツィは、ハンガリーの地方貴族の出身であり、当時の貴族の常識として、若い頃は周囲からそれなりの結婚を期待されていた。母語であるハンガリー語だけでなく、ドイツ語を完璧に身につけていたのも、ドイツ語を公用語とするオーストリア帝国の中で、貴族の妻としての地位を築いてもらいたい、という両親の願望のあらわれであろう。

ところがフェレンツィは、ドイツ語以外にも独学で様々な事柄を学んでいく。特にハンガリーの女性著述家イーダ・ミツキーと出会い、彼女のもとで文学への興味や朗読者としての才能を開花させていった。つまりフェレンツィもまた、守旧的な常識にとらわれず、自発的にそこから距離を取ろうとした、新たな時代の女性貴族であった。

ところで黙読が中心の日本とは異なり、詩や文学の朗読は、今なおヨーロッパの伝統である。当時のオーストリアは、ハンガリーを無視できない状況であったため、ハンガリー語もドイツ語も堪能な女官を宮廷に多数雇い入れることが望まれていた。つまり「朗読係」を雇うこと自体、特に問題はなかった。

ただし「朗読係」というのは、あくまで名目であり、実質的には「女官」の役割であった。ハンガリーに対する嫌悪感が強い宮廷で、女官長を解任して間もない時期に、宮廷とゆかりのないフェレンツィを無理やり女官に任命することがはばかられたためである。

フェレンツィがエリザベートに仕えるようになった経緯には、様々な説がある。ハンガリーの自治権回復を求める勢力が何らかの手段を使って、女官の候補者リストに彼女の名前を、しかもエリザベートの目にとまるように書き入れた、という見方もあるが、真相は藪の中だ。そこまで、フェレンツィの人事は異例だった。

なおフェレンツィはその後、エリザベートにとって、主従関係を超えた友となっていく。乗馬のみならず、激しいスポーツを好んだエリザベートに付き従い、厳しい山歩きにも同行した。またエリザベートの望みとあらば、仮面舞踏会でエリザベートに言い寄ってきた青年と彼女の間を取り持った。しかもその後に起こりそうな厄介ごとの火消しを行ったりと、様々な極秘事項の処理も行った。さらにハンガリーの政治家であり、ハンガリーの主権回復を目指していたフェレンツ・デアークや、ギュラ・フォン・アンドラーシをエリザベートに紹介したとも言われている。エリザベートの宮廷生活の改善という個人的な問題は、宮廷世界を一挙に飛び越え、公の政治世界にまで及び始めたのである。

チーム・エリザベートの結成②

フェレンツィの雇用により、「チーム・エリザベート」が集まり始めたウィーンの宮廷。そこにはフェレンツィよりも一年前、エリザベートが直々に雇ったもう一人の女性の存在も見逃せない。ファニー・アンゲラーという美容師である。

アンゲラーは、ウィーン中心街の外に位置するシュピッテルベルクという街区の生まれである。いわゆる「芸人」や「娼婦」なども住んでいる、社会の底辺をなす空気が立ち込める一帯であり、彼女の両親も決して裕福ではなかった。

そんなアンゲラーは、やがて劇場勤めの美容師となり、ついには宮廷劇場の一つであるブルク劇場でも働くようになる。ある日観劇に訪れたエリザベートが、そこに登場した女優の髪形の美しさに感動し、担当したアンゲラーを自分専属の美容師にスカウトした。

伝統ある宮廷の人間から見れば、アンゲラーは卑しい身分の出身である。劇場のヘアアーティストと言えば聞こえはよいが、実は劇場そのものが猥雑(わいざつ)さを含んだ、世俗的な場所であった。人気女優が貴族や金持ちと愛人関係にあることも、決して珍しくなかった。

宮廷内では反対の声も起こったが、エリザベートはそれを押し切った。それは宮廷のしきたりへの反抗以上の意味があった。つまり、美しさを意識的にコントロールすることが、皇后としての存在価値につながると、彼女が自覚していたためである。実際これまでもその美貌は、オーストリアと敵対する北イタリアやハンガリーでも、話題を巻き起こしてきた。

それを物語るのが、一八六五年に制作された、フランツ・クサヴァー・ヴィンターハルターによる肖像画である。そこでのエリザベートは、ダイヤモンドをちりばめた星形の髪飾りを頭にのせ、白いドレスに身を包んでいる。これを見れば、元々美しかった彼女が自分の美しさをいかに表出するかという戦略を打ち出していることが分かる。

ヴィンターハルターは、ハプスブルク家お抱えの肖像画家ではない。パリを拠点としながらも、ヨーロッパ各地で活躍し、特に王室からは評判が高かった。エリザベートも含めハプスブルク家の宮廷もまた、彼の得意先だった。というのも彼は「美」や「高貴さ」といった魅力を、最大級引き出せる存在だったからである（なおこの時エリザベートの肖像画と並んで、ヴィンターハルターはフランツ＝ヨーゼフの肖像画も描いている）。そのようなヴィンターハルターに、自らの肖像画を描かせる。ここにも、エリザベートのしたたかな姿勢が見てとれる。

驢馬となった皇帝

エリザベートを描いたヴィンターハルターの肖像画は、他にも二枚存在する。一枚目は白い部屋着に身を包み、もう一枚はドレスを肩まではだけたものである。いずれもアンゲラーに結わせた自慢の髪を見せつつ、艶然と微笑む彼女の美しい姿が描かれている。

フランツ＝ヨーゼフは、これらの肖像画を気に入っていた。それも道理だろう。ハプスブルク家の宮廷の作法に馴染まず、宮廷の伝統に次々とひびを入れていくような彼女だが、婚約時代からの最大の魅力であるその美貌に、ますます磨きがかかっていたのだから。

エリザベート自身、そうしたフランツ＝ヨーゼフの気持ちを十分理解し、手玉にとっていた節がある。フランツ＝ヨーゼフが家臣の不手際に激怒していた時、どこからともなくエリザベートがやってきて彼の腕をとると、その怒りがたちどころに消えた、という逸話もあるほどだ。皇帝といえども、エリザベートの美貌の前にはなす術がなかった。

そうした状況を物語る、エリザベートの風刺的な詩がある。

まだ外が暗い明け方／心に火照りが残っている時／私は衝撃とともに
目にする／私の腕の中には驢馬の頭が眠っているのだ／そう　白髪交

じりのあなたの頭は／見れば見るほど／驢馬の頭そっくり／産毛まで
そっくりそのまま

「驢馬」とはドイツ語で、愚か者を意味する。つまり、エリザベートとベッドに横たわっている中年のフランツ＝ヨーゼフは、彼女の美貌の虜になった愚か者、ということである。しかも「驢馬」という表現には、エリザベートが愛読していたシェイクスピアの『真夏の夜の夢』の影響も色濃い。エリザベートはしばしば、自身をこの戯曲に登場する可憐な妖精の女王タイタニアに、フランツ＝ヨーゼフを夫オベロンになぞらえた。オベロンは子供の養育をめぐってタイタニアと対立した挙げ句、彼女を困らせようとするが、それがあだとなり、最後には自らの行動を後悔しタイタニアに屈服してしまう。というのもオベロンの意図を超えて、タイタニアが驢馬の頭を被った職人に恋をしたことをはじめ、世界全体の秩序が混乱状態に陥ってしまったからだ。

子供の養育をめぐる対立はまさしく、ルドルフをめぐるフランツ＝ヨーゼフとエリザベートのそれに譬（たと）えられる。そんな夫への揶揄（やゆ）は、エリザベートの別の詩にも読み取れる。

今夜私は皇帝になった／だがもちろん夢の中の話／しかも賢い皇帝

エリザベート。1865年。ヴィンターハルター画

フランツ=ヨーゼフ。1865年。ヴィンターハルター画

だった／そんな皇帝はいた試しがない
ロシアにもプロイセンにも見事に対峙し／自分の国を円く治める／彼らなど実は歯牙にもかけないが／恭しく接してはみせる

これらの詩が書かれたのも一八八〇年代のことである。そこに描かれたフランツ＝ヨーゼフへの優越感は、自らの美貌を意図的にプロデュースし、我が道を行こうとした一八六〇年代の半ばにすでにエリザベートの中に芽生えていた。エリザベートの前には、皇帝といえども驢馬同然であり、美貌という武器を彼女は最大限に利用し始めていた。

ドイツ統一をめぐる立場の違い

確かにフランツ＝ヨーゼフは、クリミア戦争でロシアから不興を買い、プロイセンに対しては、より大きな失敗を犯してしまう。そしてこのことが、ドイツの統一をめぐる問題につながっていく。

ドイツには古来、大中小の様々な国が並び立っていた。また、それらをゆるくまとめる国家連合として、「神聖ローマ帝国」という一種の国家共同体が存在していた。そしてそ

エリザベート。1865年。ヴィンターハルター画

お抱え美容師のアンゲラー。1870年代

のリーダー＝皇帝という栄えある称号を、一六世紀以降ほぼ間断なく戴いてきたのがハプスブルク家だった。だがこの帝国も帝位も、一九世紀初頭に台頭してきたナポレオンによって、一八〇六年にあっけなく消滅してしまう。

ただしそれでも、ドイツの分裂状態が終わることはなかった。ナポレオンの失脚後、オーストリアをはじめ、ドイツ語圏の様々な国々が参加した、これまたゆるやかな国家連合、「ドイツ連邦」が成立する。ただしその中で、分裂状態のままでの経済活動の限界を悟った市民階級を中心に、統一ドイツを目指す動きが起こる。またそれを受け、一八四八年の革命の余波が続いていた一八四九年には、「ドイツ人のための自由な国を作る」ことを掲げて、フランクフルトで一大会議が擁され、時のプロイセン王をドイツ皇帝にしようという動きも出る。

だがオーストリアとしては、「ドイツ人のための……」という点をどうしても容認できない事情があった。つまり、ドイツ人のための国を作ってしまうと、様々な民族で構成されている多民族・多言語国家のオーストリア自体が成り立たなくなる。マリア＝テレジアの時代以来の宿敵プロイセンに、ドイツ統一の舵取りを奪われることも、あってはならなかった。

こうしてオーストリアの反対もあり、統一ドイツの話はいったん白紙に戻されるが、それでもプロイセンを中心にドイツ民族主義的な国を作るか、あるいはオーストリアを中心に汎民族主義的な国を作るか、という議論は、以後もくすぶり続ける。これがいわゆる、「小ドイツ主義＝ドイツ民族だけで統一国家を作ろう」という立場と、「大ドイツ主義＝ドイツ民族以外の民族も加えて統一国家を作ろう」という立場の対立である。この問題が、再び現実味を孕むようになったのが、一八六〇年代だった。

普墺戦争勃発

一八六〇年代はアメリカの大規模開拓が進み、世界の経済の均衡がヨーロッパ一強ではなくなりつつあった時代だ。軍備と工業で国を成り立たせてきたプロイセンにとってみれば、この問題はなおさら切実だった。かくなる上は、周辺のドイツ語圏の国々を取り込んで、一つになるしかない。ただしドイツ語圏の国といっても、かねてからの宿敵であり、様々な民族を有しているオーストリアと組むことは、「ドイツ人のための国民国家」としてのまとまりを欠く。

当時、プロイセンの実質的な舵取り役を務めていたのが、オットー・フォン・ビスマルクである。「鉄血宰相」の名前で有名なこの人物は、剛腕ぶりをプロイセン国王ヴィルヘルム一世に認められ、プロイセンの国力増大を実現させた。と同時に外交面でも老獪な手腕を発揮し、一八六四年にはドイツ語圏の自立に対する脅威を取り除くという大義名分の下に、宿敵オーストリアと組んでデンマーク相手の戦争を行い勝利を収める。

その際プロイセンは、デンマークから奪取した北ドイツのシュレスヴィヒ＝ホルシュタインを、自国の領土に組み入れる。これが、プロイセンの独り勝ちを許すまいとするオーストリア側を激怒させた。こうして火ぶたが切られたのが、一八六六年に勃発したプロイセンとオーストリアとの戦い、いわゆる「普墺戦争」である。正確に言えば、プロイセンとそのシンパの連合軍対オーストリアとそのシンパの連合軍といってよい。そしてこの時、オーストリアの味方をした国の一つが、バイエルンだった。

オーストリア＝ハンガリー帝国への布石

結局のところ、この戦争はプロイセンとその連合軍の圧倒的な勝利に終わる。何しろ対プロイセン連合軍の中核となるべきオーストリア帝国の側が、古い兵器に加え、士気がそれほど高くない軍隊を擁していたから当然だろう。

オーストリア帝国軍には、オーストリアを中心にハプスブルク家の支配する様々な領域から兵士が集まっていた。だがその中には、オーストリアの支配を好ましく思っていない地域の兵士も多々おり、戦意が高揚しなかった。

対してプロイセンは、ビスマルクの下で「鉄血政策」を通じ、凄まじい勢いで力を伸ばしている。さらに、「新しい国民国家としてのドイツを作る」という点では、プロイセンの方にはるかに理があった。つまり、大ドイツ主義のドイツを作ったところで、それは一九世紀以降志向されるようになった国民国家のあり方とは逆行する。

こうしてプロイセンは、北ドイツの友好国や一時敵対をしたバイエルンをはじめとする南ドイツの国々をも巻き込み、新たな統一ドイツ誕生を目指し始める。その際重要視されたのが、大ドイツ主義にこだわり、それゆえに普墺戦争まで起こして敗退したオーストリアを、この動きの中から外すことだった。逆にこうしたプロイセンのしたたかな戦略を通じ、何世紀にもわたってドイツ語圏に力を及ぼしてきたオーストリアは、一挙にその伝統の中から切り離されてしまう。近い将来、自分たちの国のすぐ西隣に、宿敵のプロイセンが中心となった統一ドイツが誕生するのは明らかだった。

となれば、今後の外交的問題への心配事を減らすために一番の火種のあるハンガリーをなだめ、安定を図るのが重要ではないか。ここに、普墺戦争の翌年の一八六七年に誕生することとなる「オーストリア＝ハンガリー帝国」への布石が打たれる。二つの国名が並び立つ不可思議な名前の国だが、当時のオーストリア帝国が陥った危機的な状況がにじみ出ている。

普墺戦争の勝敗を決めたケーニヒグレッツの戦い。1869年頃。ゲオルク・ブライプトロイ画

オーストリア=ハンガリー帝国誕生の際の戴冠式ドレスに身を包んだエリザベート。1867年

権威が旧さに固執するだけでは、もはやどうにも身動きが取れなくなった一九世紀後半。逆にそうした変化を肌で感じ、自らが率先して変化を作り上げていったエリザベートは、新たな時代にふさわしい皇后としての道を、確実に歩んでいた。

第七章　二重の帝国　二重の私

スポーツ活動に見る二つの要素

様々な因習から、「個人の権利」などありえなかったはずのウィーン宮廷。だがエリザベートは自分の意志を貫くための下地を創り上げた。さらにそこへハンガリーびいきが加わり、オーストリア＝ハンガリー帝国が生まれる道筋の一つとなった。

エリザベートのハンガリーびいきには、ただならぬ情熱が具わっていた。小さい頃から乗馬に熱狂していた彼女である。ハンガリー産の名馬を駆り、平原を疾走できたことが、その熱狂を増したのは間違いない。

エリザベートの乗馬は、「貴婦人が乗馬をする」という伝統的な嗜みを超えた、激しいスポーツだった。しかも彼女は、伝統に従ってコルセットに身を包み、馬に横乗りする「アマゾネス」の乗馬方法を行いながらも、おしとやかな乗馬のあり方を突破した。

つまりエリザベートは、女性の身体活動を極限まで制限し、ある意味「人形」のようにした。その上で、「美」を称賛する男性中心的な宮廷の制約に一応は従うものの、それを逆手にとって、制約の限界を揺るがしていった。

こうした姿勢は、乗馬にのみ見られるものではない。彼女は宮殿の一画に吊り輪を作らせたり、肋木（ろくぼく）を置かせたりして、激しいトレーニングを行った。彼女のギリシア語教師を

乗馬中のエリザベート、彼女の写真にしては珍しく微笑んでいる。1863年

ウィーンの王宮に残されているエリザベートのトレーニング機器

務めた、コンスタンティン・クリストマノスの回想を引用してみよう。

「皇后陛下は本日外出前に、私をサロンへ呼ばれた。サロンと陛下の私室との間の扉は開け放たれており、そこにはロープが張られていたり、体操用具や肋木が置かれていたりした。私が陛下を拝見したのは、ちょうど陛下が吊り輪につかまりご自身を持ち上げられた時だった。陛下は黒い絹のドレスをお召しになり、その裾にはオーストリッチの毛皮があしらわれていた。私は、ここまで仰々しい出で立ちの陛下を見たことがなかった。ロープにぶら下がったそのお姿は、蛇と鳥が交じり合った生き物を彷彿させた。床に下りるにあたって、陛下はロープから床に飛び降りなければならなかった。『ロープがあるおかげで、ジャンプの仕方を忘れないでいられるのです。私の父は骨の髄まで狩りに夢中で、シャモア（カモシカ）のように跳躍する方法を私たちに教えてくれました。私がこんなドレスに身を包んでトレーニングをしていることを大公妃たちがお知りになったらば、凍り付かれたことでしょうね。でも昔は、事のついでにトレーニングをしていただけでした。今でも普段のトレーニングは、朝か夕方のみなのですよ』」。

この目撃談は、一八九二年のものである。大公妃、つまりゾフィーはすでになく、エリザベート自身も乗馬をやめていた。それゆえ従来のスタイルを保つべく、駆け足の長距離ウォーキングやフェンシング、室内トレーニングに没頭していた。

ただしエリザベート自身の発言に基づけば、室内トレーニングはゾフィーの存命中から、さりげなく行われていたことになる。つまりエリザベートは、ゾフィーが取り仕切る宮廷の作法に一応従った。ゾフィーが世を去り、宮殿の一画に運動機器を置ける身になっても、トレーニングの時でさえ、仰々しいドレスを身にまとい続けた。

つまりエリザベートは、宮廷の作法を徹底して破壊することはしない。だがそうした因習や慣習に変化をもたらし、場合によってはそれを換骨奪胎（かんこつだったい）する。そして皇妃としての立ち位置を確保し、わずかでも自由の風が吹く自らの居場所を作った。

オーストリアとハンガリーの「共犯関係」

エリザベートとハンガリーを結びつける要因。その一つに、彼女好みのロマン派的要素、さらにはハイネの詩に対する共感を挙げられる。ヨーロッパ、特にその中心たるオーストリア帝国のメインストリームから、ハンガリーは長年外され続けた。ウィーンの宮廷のアウトサイダーであるエリザベートが、ハンガリーや、ユダヤ人というアウトサイダーだったハイネに対し、ロマン派的共感を寄せていくのは当然だった。

一方当時のヨーロッパでは、ハンガリーに対する興味が大きく高まっていた。その一つが音楽である。たとえば、ハンガリー出身のフランツ・リストの場合。彼は当時のハンガリー、現在ではオーストリアに含まれるライディングという町に生まれるが、人生の前半においても、さしてハンガリーと密接な関わりがあったわけではない。

だが一八三〇年代後半、ペシュト（現在のブダペスト）で洪水が起こった際、チャリティコンサートを開いたことをきっかけに、リストはハンガリーへの関心を徐々に高めていく。このコンサート以来、彼はハンガリーのメロディに基づくピアノ曲を作り、それがやがて『ハンガリー狂詩曲』として結実した。

ただし、リストが『ハンガリー狂詩曲』の元としたのは、ハンガリーの純粋な民族や民俗の音楽ではない。オーストリアに支配されていたハンガリーでは、兵士を募る際に、ハンガリーの中に多数存在した漂泊芸人のロマを雇い、血沸き肉躍る彼らの音楽を用いてリクルート作戦を展開した。それを、オーストリアをはじめとする非ハンガリー地域の人間が勝手に「ハンガリーの音楽」と考えるようになった。

そうしたバイアスのかかった要素を創作活動に反映させた芸術家は、リスト以外にも存在した。その一人が、ヨハネス・ブラームスである。彼は、音楽的立場からするとリストとは相容れない関係だったが、やはり「ハンガリー」の音楽に着想を得た『ハンガリー舞曲』を書いている。

ブラームスにせよリストにせよ、硬直しがちな創作活動に風穴を開け、新たな音楽を創造していくにあたって、ハンガリーは不可欠な存在だった。と同時に、彼らが活躍したウィーン自体が多民族多言語の都市であった。政治的なイデオロギーの対立はさておき、食事から音楽に至るまで、様々なハンガリーの文物に触れることができた。そうした意味では、オーストリアにとってみれば、自国の文化を豊かにするにあたり、ハンガリーは昔から密かな「共犯関係」の相手だったのである。

オーストリアらしい美貌の皇妃

この図式を、エリザベートに当てはめるとどうなるか。バイエルン出身の「よそ者」エリザベートが、ハンガリー人をはじめとする「よそ者」が集合する国際都市ウィーンで、ハンガリーを擁護する。それはこの街独自の多民族性を反映した姿であり、彼女が実に「ウィーンらしい」、ひいては「オーストリアらしい」存在となった瞬間であった。

ハプスブルク家は長年にわたり、「ドイツの覇者(はしゃ)」「ヨーロッパの覇者」を誇示してきた。しかしイタリアの独立からも分かるように「ヨーロッパの覇者」とはほど遠く、プロイセンとの戦争に敗れて「ドイツの覇者」とも言えなくなった。ハンガリーをはじめとする様々な地域の民族自決の動きの中、帝国自体が根底から揺らいでいた。

だがそれゆえにオーストリアを多民族多文化国家にしてきた、ハプスブルク家の来し方を考える時、エリザベートは今や同家に不可欠な存在となった。彼女はハンガリーに熱烈な共感を寄せることで、自ら多民族多文化を象徴する、ハプスブルク家の一員らしい、そしてオーストリアの皇后らしい存在と化していった。

しかもこの状況で、エリザベートがその美貌に磨きをかけていったのは象徴的である。彼女は、まさに自分こそが「ハプスブルクらしい」あるいは「オーストリアらしい」、絶対的な美の存在であることを強烈に打ち出した。しかし、「美貌」と「ハンガリー」という、一見異なるキーワードが彼女の重要な要素となったのは、なぜだろう。

大衆受けする二つの要素

当時の「ハンガリー音楽ブーム」と「美貌ブーム」との間には決定的な共通項がある。それこそが大衆受けにつながる「俗っぽさ」にほかならない。

ハンガリー音楽ブームは、ブラームスやリストといった正統的なクラシック音楽の作曲家が手掛けた、ライトクラシックである。ブラームスの交響曲やリストの交響詩のような「難しくとっつきにくい」クラシック音楽を楽しめる知的エリートだけではなく、一般大衆に訴えかけるジャンルだ。しかも、「ハンガリー」と銘打ってはいるものの、実のところロマの音楽であり、ハンガリーの正統的な伝統音楽ではない。

だが、そこが重要なのだ。筋金入りのハンガリー通でもない限り、それっぽい雰囲気を出してさえいれば、「ハンガリーの音楽」として楽しめる。またこうした要素が、ハンガリーとオーストリアの政治的わだかまりを解く「文化交流」の基盤を築いていく。

一方、エリザベートの「美」はどうか。夫を放って旅に出る彼女への世評は、実のところ決して芳しいものではなかった。しらけた民意を引き寄せ、帝国における立ち位置を確立するためには、「分かりやすい美しさ」を顕示することが重要だった。そこで彼女が大いに意識したのが、痩身術や美容術を駆使した「ナチュラル・ビューティー」である。結果、装身具や化粧で飾り立てないその美しさは、庶民に寄り添う皇妃のイメージを強めた。

そんなエリザベートの美しさを扱った記事が、とあるモード誌に掲載されている。折しも彼女が自身の美を積極的に打ち出し始めた、一八六四年の宮廷舞踏会でのこと。ヴィンターハルターの肖像画を彷彿させる彼女の出で立ちは、次のようだった。

「隅々まで美しく整えられたオーストリア皇后陛下の舞踏会のドレスを、私たちは最近目にする機会に恵まれました。その出で立ちは、高貴な輝きと優雅さと同時に、きわめてシンプルで、それが皇后陛下の完璧さをより浮き出させることとなりました。白いチュールを素材とした軽やかで繊細な衣装が、星をかたどった七つの銀製のアクセサリーと相まって、ほっそりとした、そしてすらりとしたそのお姿を際立たせ、宝石をあしらった冠が美しい御髪に映えていました」。

後はこの「誰が見ても共感できる美しさ」と、「誰でも理解しやすいハンガリー」というイメージを一体化させればよい。そうなれば、「かつて宮廷生活の中で虐げられていた美貌のオーストリア皇后が、エキゾチックな魅力に溢れた、しかもかねてから虐げられた地ハンガリーを支援する」という構図を容易に作り上げられる。

ちなみにオーストリア＝ハンガリー帝国が誕生してから数年後の一八七四年、ウィーンの人気作曲家だったヨハン・シュトラウス二世が、オペレッタ『こうもり』を発表した。その中に、エリザベートを彷彿させるような「ハンガリーの侯爵夫人」を名乗る謎の美女（実はウィーン在住の資産家の妻）が登場し、ハンガリーの民族舞踊であるチャールダッシュを歌い踊るシーンがある。もちろん彼女はハンガリー語で歌っているのだが、ドイツ語の訛（なま）りが抜けず、民族音楽としてのチャールダッシュであるかも怪しい。

だが、全くそれでかまわなかった。「分かりやすさ」こそが大衆受けにあたっては重要であり、オペレッタもまた大衆向けの娯楽だったのだから。

金のかかる「美」

だがいくら大衆受けする「ナチュラル・ビューティー」の要素が強いとはいえ、エリザベートの美には、高額の出費が必要だった。美を保つべく、新鮮かつ高価な牛乳をふんだんに注ぎ込んだ風呂で入浴した。自慢の髪の毛を洗うためにも、特別のコニャックや卵などが入ったシャンプーを必要とした。

加えて、ダイエットである。エリザベートは、生の牛肉や鴨肉を圧縮機で絞り出した肉汁をしばしば飲んでいた。これには、物事に動じないよう幼少期から教育を施されてきたフランツ＝ヨーゼフでさえ、気味悪がった。また肉汁をまとまって作るために、特別な圧縮機や、牛や鴨といった高価な肉をほしいままにできる財力が必要であった。

さらにエリザベートは、入浴だけでなく、飲料としても新鮮な動物の乳を望み、シェーンブルン宮殿の一画に自分専用の牧場を作らせた。船旅の際には、新鮮な乳がどうしても必要ということで、山羊をわざわざ持ち込むという徹底ぶりだった。

だが、いくら「ナチュラル・ビューティー」を標榜しても、皇后にふさわしい装身具や衣装は必須である。それらを過剰に使わずに、自慢の白い肌や身体的な美しさを引き出すために、かえって特別な仕様のものが必要だ。ヴィンターハルター作の肖像画に描かれた髪留めをはじめ、オーストリア＝ハンガリー帝国誕生の際に作られた肖像画の中の装身具。それらは、宝石商に特注した高価なものばかりであり、莫大（ばくだい）な数にのぼった。

さらに、エリザベートの美をお膳立てする「チーム・エリザベート」への支払いも重要である。とりわけ美容師のアンゲラーには、宮廷劇場で彼女が得ていた月給の額をそのまま与えるだけでなく、元々の年収の二倍以上にあたる手当、さらにクリスマス等にはそれをも上回る特別手当、ひいては年金までも用意した。さらにアンゲラーが結婚すると、その結婚相手を自身の個人秘書として雇っている。もちろん「朗読係」のフェレンツィや、その他の女官に対しても、ふんだんな支払いを行った。

また、彼女の美の要因となった「旅行」にも、莫大な費用が掛かった。何しろ彼女は後年、「ファンタジー」「グリフィン」「ミラマール」という旅行用の大型ヨットを三艘も所有して遠出を行い、さらに陸路を行く際には自分用の特別列車車両を用意させた。加えてヨットにも浴槽を特注したほか、ガラス屋根で覆われた特別の部屋で、自慢の髪を何時間にもわたって整えさせた。もちろん旅行には、船員をはじめ五〇人以上のスタッフが必要で、彼らへの給与だけでも天文学的な数字となった。

だがそうした高額の出費が可能となったのも、彼女がハプスブルク家の皇妃という特別な地位にあったからである。一八七〇年代に入ると、フランツ＝ヨーゼフの叔父であり先帝のフェルディナント、さらに彼の父が、莫大な遺産を遺して亡くなる。フェルディナントには子供がいなかったこともあり、両者の遺産はそっくりフランツ＝ヨーゼフへもたらされた。その結果、彼は遺産の多くをエリザベートが意のままに使えるようにし、彼女もそれを存分に用いるだけでなく、秘かにスイスの銀行に預けたり投資に回したりして、さらに富を築いていった。

節制がもたらす共感

こうした内実にもかかわらず、エリザベートが過剰な装飾を抑えた美で勝負しようとした点は、裸一貫から身を起こしてきた庶民に近いものがあった。彼女のギリシア語教師だったクリストマノスも、そうしたエリザベートの様子を次のように述べている。「皇后陛下は旅をされる際にも、常に美にのめり込んでおいででした。その一方で、あたかもイギリス人女性のように、節制という概念もお持ちでした」。

確かにエリザベートは、これ見よがしの贅沢を行わなかった。そんな彼女の「節制」を物語るものがある。自分で何を食べたいか、何を食べるべきかを綴った覚書だ。

「昨日のミルクは最高だった。今日のもよかった」。「朝七時四五分に、女料理人の作ったトラーニ風のカナッペ（トラーニとはアドリア海沿いのイタリアの街。魚介類の載ったカナッペか）は、ミルクとクリームを生のまま熱を通さないで、別々に分けて所望する必要あり」。「明日の昼食は、子羊にボガーチャ（東欧で作られているパンの一種）と辛口のシャンパンを添えて」「八時になってから朝食――パンドリーニ（ほうれん草やヨーグルトを混ぜ込んで焼いたパン状の

30歳の頃の写真。レースの襟を好んで身に着けた。1867年

白いレースで装飾されたエリザベートの靴

エリザベートのために特別の生乳を用意する
召使い。1898年。カーロイ・チェルナ画

皇妃特別列車のサロン車両の内部風景。ウィーン技術博物館蔵

スナック）」「トラッペ（ベルギーのトラピストビールの種類）の二四本入りケースを二箱」「ボンベ・フランシヨン（チョコレート・アイスクリームにブランデーをかけたデザート）」。

エリザベートは常に節制をしていたわけではなかった。ただし、ダイエットのために高価なご馳走を我慢することもあった。彼女が口にしていたのは、高価であるがゆえに手のかかる、健康によい食品がほとんどだった。

またエリザベートは、最小限のお供を引き連れて、菓子屋等で度々買い物したが、これも皇妃としては異例のふるまいだった。彼女が足を運ぶのは、ウィーンの中心街に店を構えるデーメルやゲルストナーといった高級店であり、そこで購入するのは、スミレの花の砂糖漬けといった、健康的だが高価な菓子が多かった。それでも、皇族が何かを必要とする時は、商人が品物を届けに行くのが普通だった。その伝統に照らせば、自ら行動するエリザベートの姿勢は、庶民に近いものだった。スミレの花の砂糖漬けも、高価かもしれないが、金を出せば一応誰もが手に入れられる菓子である。

もちろんこうした一連の行動が、どこまで意図されていたのかは、よく分からない。窮屈な宮廷を嫌って自由気ままに動こうとしたことが、時代の求めるものと共振し、庶民の心をつかむことになったとも考えられる。だが結果的に、エリザベートが伝統的な皇妃とは異なり、質素で飾り気がないにもかかわらず人並外れた美しさを湛えた人物だというイメージは、確実に広まった。そしてそれは、市民階級が社会の中心を担うようになった近代社会で、無暗（むやみ）に贅沢に走ることのない、あらまほしき皇族のイメージとなったのである。

混然とする立場

ハンガリーに対するエリザベートの姿勢や行動には、イメージ先行のエピソードが数多く存在する一方、不明な点も多い。確かに彼女は、魂と身体の解放と休息の場としてハンガリーを求めた。ただし、オーストリアとの間で緊張関係にあるハンガリーの政治に実際どの程度まで関わったのかについては、謎に包まれている。ハンガリー関係のエリザベートの行動には、「私」の要素と「公」の要素の双方が混然としているからなのだろう。

たとえば、普墺戦争でオーストリアが惨敗した一八六六年の七月三日のこと。この六日後、エリザベートはブダ（現在のブダペストの前身）へ赴き、直ちにウィーンへ戻ってバート・イシュルにいる子供たちをゾフィーの手から引き離した上、ブダに連れて行く。そして、ハンガリーの政治家のアンドラーシやデアークと面会する。すると今度は、彼らがウィーンにフランツ＝ヨーゼフを訪ねるという、政治的な動きが活発化した。

だがその一方で、エリザベートはこの間、ウィーンにはほとんど帰っていない。彼女はこの間ブダで避暑をし、心身の回復を図っている。しかも避暑をしていた最中の八月、エリザベートは近郊のゲデレーを訪問し、そこに半ば朽ちかけた宮殿を目にする。「ゲデレー宮殿」である。一八六七年のオーストリア＝ハンガリー帝国樹立の際に、ハンガリー帝国からフランツ＝ヨーゼフとエリザベートに記念品として贈られて以降、エリザベートの別荘、あるいは逃避場所となる館だ。

このゲデレー宮殿は元々、アンタル・グラッサールコーヴィチ一世というハンガリーの貴族が造ったものだった。彼はマリア＝テレジアの信頼篤く、実際に彼女もこの宮殿を訪れたことがある。つまりゲデレー宮殿は、継承問題をきっかけにプロイセンに攻められ、危機に陥っていたオーストリアを、ハンガリー貴族の協力を得て救ったマリア＝テレジア、さらにはハプスブルク家ゆかりの政治的記念碑なのだ。

ゲデレー宮殿を将来の別荘と定める一方、エリザベートもそうしたマリア＝テレジアのイメージを踏襲する。ドイツ統一をめぐってプロイセンにオーストリアが敗北する危機の中、皇太子ルドルフを含む子供たちをハンガリーに連れて行く。それはプロイセンとの戦いで危機に立つマリア＝テレジアが、赤ん坊だった皇太子のヨーゼフ二世を連れてハンガリーに赴き、貴族たちに窮乏を訴え、彼らの同情と忠誠を引き出した故事を彷彿させる。

ただしエリザベート自身は、マリア＝テレジア流の大仰なデモンストレーションは全く行わない。むしろマリア＝テレジアの「公的」な足跡を匂わせながら、あくまで自分の「私的」な領域を優先し、公的な事柄のほとんどはフランツ＝ヨーゼフに任せきりにした。

そうでなくても、まだオーストリアとハンガリーとの将来が不透明だった一八六七年の二月、エリザベートはいずれかの国ではなく、スイスのチューリヒにいた。出産を終えた妹のマティルデを訪ねるためである。その際、エリザベートは息子の皇太子ルドルフに宛てて、次のような手紙を書いている。「赤ん坊が大声で泣き始めたので、これ以上手紙を書けません。この子ほど吐き気を催す存在もなく、近寄ると臭いのです」。

オーストリア＝ハンガリー帝国が誕生するか否かの瀬戸際にありながらも、わざわざスイスにまで行って、しかも大事な妹の子供に悪態をつく。あれほどまでに子供の養育を行いたいと願いつつ、それを果たせなかった女性の屈折が表れた言動である。

また、チューリヒに来られなかったフェレンツィに宛てても、手紙を書いている。「今私にはあまり時間がないので、うんと手短に書きます。美容師の女の子が下手で、のろまで、自分の考えを譲らないのです。アンゲラーはまだ体調を崩していて、復帰までには四週間かかるかもしれません。午前中をかけて必要なハンガリー語の授業を受けたいのに、この愚かな娘の手にかかっていなければならないと思うと、本当に絶望してしまいます」。

この後にも、ハンガリー語を勉強したいのにできないという不満が滔滔（とうとう）と綴られていくわけだが、ハンガリーの情勢に関する話題はほとんど出てこない。しかも手短に、と断っている割にはかなり長い。エリザベートにとって、語学や乗馬を含めハンガリーのあれこれは、相当私的な領域のものだったのだろう。なにしろ彼女がいるのは、妹の出産があったとはいえ、ハンガリーではなくスイスなのだから。

称賛と憂鬱と

エリザベートのハンガリーに対する、複雑な要素の入り混じる愛情、それは彼女が一八八六年に書いた詩にも見られる。

当時、ハンガリーではコレラが流行っていた。後ほど触れる末娘のマリー＝ヴァレリーが同行を希望したものの、エリザベートはそれを許さず、一人でゲデレー宮殿に出かけた。だが寂しさは増し、『見捨てられて』という詩まで書いている。

万歳！／万歳！　私の素敵な牛車よ／活き活きと、しかし速すぎず／
空には　あなたたち白い鳩まで飛んでいる！／鞭(むち)が唸(うな)る　そして／
荒々しい平原の風が巻き起こる／ほら！　躊躇(ちゅうちょ)していてはだめ！

よく分かっているわね　どこを目指すのか／山際に城が誇らし気に立

つところ／四羽の愛らしい鳩が　私を運んでくれるに違いない／風の中にあっても誇り高く周囲を見回して／今日は暗い気持ちに覆われても／まるで羽ばたくかのようにあの地を目指して

コレラなんか恐くはない／あの高みには私の奥津城があるのだから／遅かれ早かれ！／あそこで私の身体は永遠に安らぐ！／精神は重荷から解放され／大気の中に愉しく羽ばたいて行く！

ここに見られるのも、熱愛するハンガリーを前にして、「公」と「私」の間を行き来するエリザベートの姿である。オーストリア＝ハンガリー帝国の誕生以降、オーストリア皇妃とハンガリー王女を兼ねる彼女は、ハンガリーを「公的」に賛美する。一方で、やがてその姿勢の中には「私」が顔を覗かせ、死への願望に焦がれる姿が刻まれていく。

アンドラーシとの関係

こうしたエリザベートの姿勢は、アンドラーシとの関係にも見て取ることができる。彼らが初めて出会ったのは、一八六六年の一月のこと。オーストリアとプロイセンとの関係がきな臭くなっていたとはいえ、普墺戦争は勃発していなかった。折しもエリザベートは、ウィーンにいた。そこへ、彼女の誕生日に遅ればせながら祝いを述べるべく、ハンガリーの使節団がウィーンの宮廷を訪れる。その中にアンドラーシの姿もあった。

この後、エリザベートはハンガリーの使節団来訪に応えるかのように、フランツ＝ヨーゼフと連れ立って、一月末からブダを訪問した。なおこの時の彼女は、おおむね皇妃としての公式任務を果たしているものの、「体調不良」という名目で欠席した行事もあり、ハンガリーのことであれば必ず出席する、というわけではなかった。そしてこのブダ滞在で、エリザベートはアンドラーシと頻繁に面会するようになる。

一方アンドラーシは、一八四八年に起きたハンガリーでの革命の闘士として一躍名を挙げた。革命が失敗に終わった後はパリとロンドンで亡命生活を余儀なくされたが、様々な人脈作りを行い、虎視眈々と次なるチャンスを狙った。そして一八五七年、妥協策の一つとしてフランツ＝ヨーゼフが下した恩赦によってハンガリーへ帰国する。帰国後は、ハプスブルク家との和解、オーストリアとの妥協を念頭に置いたハンガリーの独立を探り始めた。つまりハンガリーだけで独立するのではなく、常にハプスブルク家との友好関係を念頭に置くという、ハプスブルク家にとってもありがたみのある話だった。

もしもハンガリーがオーストリアから完全独立をする、というのであれば、ここまでエリザベートがハンガリーと密接に関わることは不可能だったろう。そもそもオーストリア皇妃として、そのようなことは不可能であるからだ。逆にハンガリーにとっても、オーストリアから完全に独立したところで、今度は背後に存在するロシアの脅威がある。オーストリアからの反感も心配だ。となると、オーストリアと協力しながら、ハンガリーの主張をしっかりと通し、国家として維持させていくというしたたかな道しかない。清濁併せのみながら実をとる政治姿勢の持ち主が、アンドラーシだったわけだ。

ということで、エリザベートとアンドラーシが深い仲になっているのではないか、と周囲に思わせるほどの親密ぶりを発揮することも、アンドラーシにとって難しくはなかった。何しろ彼は、ハンガリー系のハンサムであり、社交の術にも長けていたからである。後年彼らの関係が徐々に疎遠になっていくのも、まさにこの点にあった。

もちろん、エリザベートが親ハンガリーであると明言した態度にアンドラーシは感動した。またエリザベートが美しかったことにも、彼は魅せられた。だが全ては、オーストリアの皇族に対し、アンドラーシが露骨な反抗姿勢をとらなかったことによる。彼の柔軟性としたたかさが、オーストリアとハンガリーとの文字通りの「妥協（アウスグライヒ）」をもたらした。

「妥協」の産物

「アウスグライヒ」というドイツ語を聞くと何やら凄そうに聞こえるが、その原義は「徹底して同じにする」。つまりオーストリアとハンガリーの主権を同等にする反面、オーストリアはハンガリーに、ハンガリーはオーストリアに依存するという関係性だった。

そうした意味合いでは、オーストリア＝ハンガリー帝国の建国にあたって、ブダペストで新たな国の君主夫妻、つまりフランツ＝ヨーゼフとエリザベートの戴冠式が行われたこと自体が「妥協」の産物だった。つまりハンガリーの側としては、自分たちの意思でオーストリアの皇帝夫妻にハンガリーの冠を授けることを意味した。

これまではオーストリアの皇帝夫妻がハンガリー王夫妻を兼任していた。だが今度は、ハンガリーの意思でそのような状況が作り出された。しかもそこでは「オーストリア＝ハンガリー」という言葉が示すように、オーストリアの帝政とハンガリーの王政が並び立ち、支配者が統一される。このようにして、「Kaisertum und Königstum（帝国にして王国）」、略して「K＆K」の頭文字を頭に戴く、摩訶（まか）不思議な形態の国家が誕生した。

この栄えある出来事を機に、ブダとペストという二つの都市を一緒にして生まれたハンガリーの新首都「ブダペスト」で戴冠式が行われた。会場では、オーストリアの風土の中

アンドラーシ。1861年。ジョジェフ・マラストーニ画

オーストリア=ハンガリー帝国の誕生、壇上にはフランツ=ヨーゼフ（左）とエリザベート（右）、段の下右手前にはアンドラーシ。1867年。エドゥムント・トゥル画

で育ちながらも、今やすっかりハンガリーの象徴的音楽家のようになったリストの書き下ろした『ハンガリー戴冠式ミサ曲』が、麗々しく演奏された。そしてこちらも、オーストリアと巧みな妥協を図りながら、今やハンガリーの政治の顔となったアンドラーシが、戴冠式の実際を前面に出て取り仕切っていた。

元々フランツ＝ヨーゼフは、ハンガリーにはそこまで譲歩する気はなかった。ところが、普墺戦争での敗北をきっかけに、真剣に検討せざるを得ない状況に追い込まれた。さらに、エリザベートがウィーンの宮廷を嫌っていることを知れば知るほど、彼女を手放したくないと考えていた。

それもこれも、エリザベートに去られてしまった場合、ハプスブルク家や同家の治める帝国の威信が傷つくという、「政治的配慮」だけにとどまるものではあるまい。フランツ＝ヨーゼフ自身、エリザベートから密かに「驢馬」呼ばわりされるほど、彼女の美貌に夢中になっていた。当時の貴族の習慣として妻以外に女性関係を持ったとしても、結局彼女を手放したくないという「個人的な思い」が強く働いたからだろう。エリザベートのハンガリーへの情熱を前に、最終的に妥協する以外道はなかった。

エリザベートとしても、オーストリア皇妃という立場上、フランツ＝ヨーゼフとの離婚は許される状況にないと分かっていた。となると、自身の宮廷での立ち位置を確立していくためには政治的な事柄にも関与しつつ、夫婦関係を維持せざるを得なかった。そうした中で得られた夫婦の「妥協」の目に見える形が、オーストリア゠ハンガリー帝国だった。

結果、夫婦の和合も図られる。一八六八年、つまりオーストリア゠ハンガリー帝国の「妥協」から一年後、エリザベートは夫妻にとって最後の子供となるマリー゠ヴァレリーを、ブダペストで出産する。エリザベートの逃避行が始まって以来、長きにわたって彼らの間の性的交渉が激減していたことを考えれば、この子供は、オーストリア゠ハンガリー帝国の誕生をきっかけにした夫婦関係の復活とも考えられる。しかも生まれてきたマリー゠ヴァレリーの洗礼式には、オーストリアの代表団のみならず、アンドラーシをはじめとするハンガリーの代表団も列席し、夫婦の和合に加えて、国同士の和合が寿がれた。

だが、フランツ゠ヨーゼフとエリザベートの和解は一応達成されながら、その後も両者の生き方は食い違っていく。エリザベート自身、マリー゠ヴァレリーを初めて自分の手で育てる夢を叶える一方、フランツ゠ヨーゼフはともかく幼いマリー゠ヴァレリーまでも置いて、旅から旅への生活を送るようになる。このように考えると、マリー゠ヴァレリーの出産と養育も、オーストリア゠ハンガリー帝国に勝るとも劣らぬ「妥協」の産物だった。

第八章　新たな世界が抱える闇

ハイライトの時代のはずが……

オーストリア＝ハンガリー帝国樹立を迎えた一八六七年。当時はまだ姑のゾフィーも存命中で、嫁姑問題に完全なピリオドが打たれたわけではなかった。だがゾフィーも高齢の域に入っており、しかも一八六七年を境に急速に衰え始めていた。

かたやエリザベートは、三〇歳を迎えたばかりの年にあたる。愛するハンガリーの主権が認められ、彼女は意気軒昂としていた。また当の新生ハンガリーの統治者に即位するべく、彼女はフランツ＝ヨーゼフとともに戴冠式に臨み、美貌の王妃として、夫以上に人々の注目を集めた。私生活でも、一年後にマリー＝ヴァレリーを出産し、ついに自分の手でわが子を育てるという望みを実現させる。ハプスブルク家に輿入れして来てから、約一五年。様々な闘いを経て、エリザベートの人生にとってのハイライトがやってきた。

そんな高揚感に包まれていたのは、彼女だけではない。ハプスブルク家の都ウィーンでも、一八五七年に始まった都市改造がいよいよ完成に近づきつつあったからである。

エリザベートが旧態依然たる格式からの脱却を図ったように、ウィーンでも中心街を取り囲んでいた中世以来の古色蒼然たる市壁や市門は、ほぼ跡形もなく取り壊された。跡地には、中心街をぐるりと取り囲むような環状道路が作られ、指輪のように円い形状から「リング通り」という名称がつけられた。道路の幅は実に五〇メートル以上になり、道路の上には当時最新の都市交通手段だった路面馬車が走り、道路の脇にはガス灯が新設された。新装となったのは、通り自体だけではない。通りの周囲には、王宮の新館はもとより、帝国議会議事堂をはじめとする官公施設、宮廷劇場や宮廷博物館といった文化施設が姿を現した。また「公」の施設と並び、リング通り周辺の余った土地が売却された結果、ウィーンの経済活動の中心となった裕福な市民がこぞってマンションやホテルを建設した。

さらに都市改造の波は、ウィーン全体に及んでいく。ウィーンの代名詞でもあるドナウ河では治水工事が行われ、かつては度々洪水を起こした曲がりくねった河の形状が直線に改められ、河川でも円滑な交通が可能となった。上下水道も完備され、特に上水道にはアルプスから水道が敷かれた結果、ウィーンのどこにいても新鮮な水が飲めるようになり、伝染病の心配も激減した。

こうしてウィーンもまた、エリザベートと同様、その長い歩みの中で、未だかつて経験したことのないハイライトを迎えつつあった。だがその後のウィーンを都とするハプスブルク帝国は、オーストリア＝ハンガリー帝国という新たな国家体制を作り上げたにもかかわらず、政治や経済の世界では存在感を失っていく。

エリザベートも同様だ。その死までまだ三〇年以上の歳月があるにもかかわらず、オー

城壁の取り壊しと建設中のリング通り。1863年

リング通りと帝国議会議事堂。1900年前後

ストリア＝ハンガリー帝国誕生前後のように、彼女が政治の表舞台で注目を浴びることはもはやなく、その孤独癖や流浪癖をいよいよ強めていった。

フランツ＝ヨーゼフとマクシミリアンの確執

なぜエリザベートは存在感を失っていくのか。それを考える前に、ゾフィー衰弱の原因を考えよう。そこには、ゾフィーの次男のマクシミリアンの件が影を落としている。

そもそも長男であるフランツ＝ヨーゼフと、次男のマクシミリアンは、ハプスブルク家の家督相続を含め、様々な点で微妙な関係にあった。マクシミリアンは、全てに兄が先に立つ状況に、内心不満を抱いていた。フランツ＝ヨーゼフとエリザベートの間にルドルフが誕生するまでは、マクシミリアンは第一皇位継承者だったからである。

政治的な価値観でも、両者の間には溝があった。一八四八年の革命後、フランツ＝ヨーゼフの命令下、自由主義が弾圧されたが、マクシミリアンは批判的な立場をとっていた。また一八五七年以降、マクシミリアンは、当時ハプスブルク家の領土だった北イタリアのロンバルド＝ヴェネト王国の副王に即位し、自由主義的な姿勢を打ち出していく。

だがこのような姿勢は、フランツ＝ヨーゼフの意にそぐわなかった。そもそも副王就任は、ラデツキー将軍を解任したフランツ＝ヨーゼフが、マクシミリアンに要請したものだったからである。過度に北イタリアを挑発するのは好ましくないため、穏健派のマクシミリアンを据えようという思惑だった。だがマクシミリアンがあまりにも自由主義に肩入れしたため、かえってこの国では反ハプスブルクの動きが活発化してしまう。

フランツ＝ヨーゼフから見れば、マクシミリアンの行動は、およそ慎重さにかけていた。結果、ソルフェリーノの戦いでオーストリアが敗北すると、マクシミリアンは副王の地位を解かれてしまう。そして妃のシャルロッテとともに、トリエストのミラマーレ城に蟄居（ちっきょ）させられてしまった。

フランツ＝ヨーゼフとマクシミリアンの間に生じた確執は、下降するハプスブルク家の権勢に、さらに水を差す要因になりかねない。だからこそ、ゾフィーは生まれてきた皇太子ルドルフに過剰なまでの期待を寄せ、彼をフランツ＝ヨーゼフ以上の完璧な皇帝に育てようと意気込んだ。だがそれも結局は裏目に出て、エリザベートによるバート・イシュルの最後通告で覆されてしまう。今やかつてのように、自分の狙い通りの権勢をふるえなくなっていったゾフィーは、徐々に弱っていった。

メキシコ皇帝マクシミリアンの末路

そうした折、フランツ＝ヨーゼフから干されていたマクシミリアンに、うまい話が飛び込んでくる。かのソルフェリーノの戦いではオーストリアと敵対しつつも、適当なところで手を打ったナポレオン三世によるものだった。

当時ナポレオン三世は、メキシコにフランスの植民地を作ろうと考えていた。だが一九世紀に入りヨーロッパ列強の植民地支配から脱したものの、政治的な混乱が続くメキシコに直接手を下すのは危険である。そこで、いわば傀儡の皇帝として、不遇のマクシミリアンを据え、彼の後ろから自分が隠然たる影響力を行使しようと考えた。

北イタリアの一件を別とすると、オーストリアをいつまでも敵に回していることは、フランスにとって得策ではなかった。フランスとしては、微妙な関係にあるプロイセンの主導で統一ドイツができることを警戒していたからである。

オーストリアとの協調関係と、メキシコの間接支配。これらを望むナポレオン三世は、マクシミリアンにメキシコ皇帝という餌をちらつかせる。もちろんそれに対し、ゾフィーやフランツ＝ヨーゼフからは猛反対が起きた。それにもかかわらず、マクシミリアンはナポレオン三世の誘いを受け入れた。

マクシミリアンとすれば、将来の帝位もおぼつかない自分が、メキシコといえども皇帝として君臨できる誇りは大きかった。しかも、一六世紀のハプスブルク家は、スペイン、さらにはその植民地だった東南アジアや中南米までをも含めて、世界的な大帝国を築いて

ミラマーレの館でエリザベート（中央左側）を出迎えるシャルロッテ（中央右側）。手前のボートには、フランツ＝ヨーゼフ（中央）とその右側にマクシミリアンが立っている。1865年。チェザーレ・デラークァ画

ドックで乾燥作業中のミラマール。新鮮な花で飾られ、1882年から電気照明が設置された

いた。となれば、マクシミリアンのメキシコ皇帝即位は、最も栄えていた時代のハプスブルク帝国の再来を意味する。となれば、フランツ＝ヨーゼフもゾフィーも、マクシミリアンの野望を最終的には拒絶できなかった。

ただしフランツ＝ヨーゼフは、マクシミリアンのメキシコ皇帝即位にあたり、オーストリアの帝位継承の破棄を認めさせる。そうすることで、自分やルドルフにも万が一のことが起きた場合、オーストリアだけではなく、メキシコにも帝位を持つマクシミリアンの力の巨大化を防ごうとした。マクシミリアンは反発するが、それでも一国の最高支配者となる誘惑には逆らえず、その条件を飲んだ。

こうしてマクシミリアンはメキシコ皇帝として、シャルロッテとともにメキシコへ渡る。だがその結末は、悲惨なものだった。メキシコで反乱が起こる中、ナポレオン三世はそれを鎮圧する手助けを行わなかった。マクシミリアンは捕らえられ、銃殺刑に処せられてしまう。シャルロッテは一命をとりとめたものの、精神の闇に包まれたまま、長い余生を送ることとなった。

エリザベートにとってのミラマーレ

マクシミリアンが処刑された後の一八六九年以降、彼が一時蟄居したトリエステのミラマーレの館にエリザベートは度々滞在することとなる。船を使って地中海へ旅し、ギリシアを目指すにあたって、この城は格好の場所だった。だがそれ以上に、夢を見ながら敗れていったマクシミリアンへの、彼女ならではの密かな共感があったからではないか。

エリザベートが最初にミラマーレを訪れたのは、一八六一年のことである。マデイラ島で療養を終えた彼女がトリエステ経由でウィーンへ戻る際、フランツ＝ヨーゼフが彼女を迎える場所にこの館が選ばれた。蟄居中のマクシミリアンとその妻であるシャルロッテも、エリザベートを出迎える。

シャルロッテとエリザベートの関係は、決して良好なものではなかった。シャルロッテはベルギー国王レオポルト一世の一人娘である。バイエルン王家の傍流の出身、それも次女であるエリザベートを常に見下す反面、オーストリアの皇后である彼女に対する嫉妬と羨望を抱いていた。だからこそ夫マクシミリアンがメキシコ皇帝となり、自分が皇后になることに積極的だった。

エリザベートとシャルロッテの確執は絶えなかった。だがそれでも、エリザベートがマクシミリアンの死後、ミラマーレの城館をしばしば訪れたことは注目に値する。ハプスブルク家の当主になれず、兄との確執の末、メキシコ皇帝という夢想に囚われて破滅を遂げていったマクシミリアン。そんな彼が、メキシコへの想いを強めていた城に、非日常の夢へ没頭していたエリザベートは、大きく共感するところがあったのだろう。

それどころではない。一八七二年に造られた皇室用ヨット「ミラマール」をエリザベートは半ば自分専用とし、それに乗って幾度も放浪の旅に出ていく。「ミラマール」あるいは「ミラマーレ」とは、「海を望む」という意味だ。マクシミリアンはメキシコを、エリザベートはギリシアに通じる地中海世界を見ることで、窮屈な現実からの逃避を図ろうとした。もちろんその逃避は、彼らが置かれた「主要皇族」という立場上、いつまでも続けられるものではなかったが。

ヨット「ミラマール」の建造にあたり、エリザベートが書いた詩が、そのことを端的に物語る。


そうだ、私は船を作ろう！／未だかつてなかったような美しい船が現れるだろう／気高く広大な海の上に／マストに翻るのは「自由」／船首にはためくのは「自由」／船の行くところ　自由が満ち溢れている

常に「自由」を求め続け、ついにはヨットまで手に入れたエリザベート。しかし彼女の乗ったヨットは、片道運行を許されず必ずや「不自由」なウィーンへ戻らなければならな

かった。そうした宿命を幸か不幸か、死によってマクシミリアンは達成したのである。

千載一遇(せんざいいちぐう)のチャンスのはずが

マクシミリアンのメキシコ皇帝即位と悲惨な結末は、ゾフィーの寿命を縮めた。しかもこの年には、彼女が蛇蝎のごとく嫌ってきたハンガリーの主権を認める形で、オーストリア＝ハンガリー帝国が誕生する。わが子フランツ＝ヨーゼフは、マクシミリアンのように死にはしなかったものの、エリザベートに肩入れしてハンガリーとの距離を縮め、政治的にはゾフィーの手から離れてしまった。ゾフィーが弱っていったのも無理はない。

となれば、エリザベートにとっては千載一遇のチャンスではないか。何しろ彼女は、アンゲラーやフェレンツィに続き、宮廷における自らの取り巻きを、さらに「チーム・エリザベート」に仕立て上げていったのだから。その一例が、オーストリア＝ハンガリー帝国樹立の一年後、フランツ・フォン・ノプシャというハンガリー人が、宮内長官として召し抱えられた出来事である。

実のところノプシャもまた、ハンガリーびいきのエリザベートの好みに漏れず、ハンガリー人だった。親オーストリアの貴族の家柄に生まれ育った彼は、オーストリア＝ハンガリー帝国の樹立を受けて、ハンガリー側の省庁の政務次官を務めるまでになった。

つまり彼は、優秀な宮廷人であると同時に政治家であり、官僚としての才能も豊かに具えていた。加えて、オーストリアに対して親和的な態度も表明しつつ、新生ハンガリーのために活発に働いている。宮内庁長官の地位を得るにふさわしい人物だった。

ただし、やはり事もあろうにハンガリー人、それもハンガリーの主権回復の中心にいた人物を、宮内庁長官にするのはあまりにも思い切った決断だった。当然のことながら、宮廷内部からも反対意見が出てくる。ついにはエリザベートが、反ゾフィーの立場から召し抱えた人間との軋轢さえ生んでしまった。

亀裂の入る「チーム・エリザベート」①

その人物こそ、フォン・ケーニヒスエッグ夫妻だった。夫の名前はアルフレート、妻はパウリーネと言い、二人も伯爵家の家柄の生まれである。エリザベートは最初の長期外国療養を経てウィーンへ帰ってきた年、前者を宮内長官、後者を宮内女官に直々に任命した。あのエステルハージ＝リヒテンシュタイン侯爵夫人が、女官長を辞めた直後の話である。

つまりエリザベートにとって、アルフレートとパウリーネを自分のそばに仕えさせることは、ゾフィーの思惑に対する強力なアンチテーゼとなるはずだった。特にパウリーネは、エリザベートが輿入れした当初から女官を務めており、しかも女官長のシンパではなかったため、エリザベートが宮廷の中で最も信頼を寄せる女性だった。

ただしその後、フェレンツィが雇われることで、状況は変化していく。パウリーネにとって、エリザベートの寵愛が自分からフェレンツィに移るのは、認められなかった。だが、パウリーネはハンガリー語ができず、それがさらにエリザベートの心変わりを招いた。また、夫アルフレートもハンガリーの血を濃厚に継いでいたものの、先祖を遡ればドイツ系の出身者であり、ハンガリーが自治権まで要求してくる状況には反対だった。

エリザベートとケーニヒスエッグ夫妻との不和は、スタートが親密だっただけに、宮廷以外の人間にも知れ渡るほどまでになる。つまり、エリザベートは自分の意志で雇い入れたチームのメンバーとさえ、仲違いを起こすようになった。そこへノプシャを宮内長官として雇い入れ、アルフレートのライバルとして対峙させる状況も作り出してしまう。

それではケーニヒスエッグ夫妻を解雇すればよいようにも思うが、宮廷では簡単にはいかない。よほどのスキャンダルでも起こさない限り、最高権力者が自らの判断で雇い入れた人間をクビにすることはできなかった。ましてや、アルフレートがフランツ＝ヨーゼフとかなり近しかったことを考えるとなおさらであった。

亀裂の入る「チーム・エリザベート」②

さらに一八七一年になると、エリザベートとケーニヒスエッグ夫妻との溝をさらに深める出来事が起こる。マリー・フェステティチという伯爵家出身の女性が、チーム・エリザベートに迎え入れられたからだ。彼女は元々アンドラーシをよく知っており、またノプシャの後押しもあって、エリザベート付きの女官として働くことになった。

といっても、フェステティチは最初からこのポストに就くことに積極的だったわけではない。自身の自由な時間が奪われる危惧や、気難しいと噂されるエリザベートに仕える不安が大きかったためだ。実際、宮仕えをした後のフェステティチは何度か縁談の機会に恵まれるが、その都度エリザベートからの拒絶を受けて、生涯独身として過ごすことになる。ハンガリー系の貴族の家に生まれ育ち、ハンガリーの政治に強い関心を抱く人間として、「ハンガリーのために」という理由を持ち出されると断わりきれなかったのだろう。

こうして彼女はエリザベートに仕える身となる。これが「チーム・エリザベート」に、さらなる亀裂を生んだ。さらには、エリザベートのハンガリーびいきが生んだ「チーム・エリザベート」自体、多民族を抱える帝国のハプスブルク家の宮廷として理想的な集団とは言いがたかった。ゾフィーに対抗する形で、宮廷に徹底して「私」の要素を持ち込んだものの、その行動は、当の宮廷に新風をもたらすどころか、絶えず混乱をもたらした。

そんな我が道をいく性格を物語る記事が、フェステティチの日記にしたためられている。

一八七二年の冬、ハンガリーへ旅行をした時のことだ。

「(……)私たちはペシュトへ向かいました。その道すがら、馬車の中で陛下は私に仰せになりました。『お金を持っていますか?』『はい、陛下』『いかほど?』『そう多くはありません、せいぜい二〇フォリントです』『ならば十分だわ』『そうだとは思いませんが』『たくさん買い物はできないのかしら? 私は(お菓子屋の)クルーガーに行って、ヴァレリーのために買い物をしたいのよ』。確かにそこのお菓子は美味しかったのです。私たちは幸いにも人々に気付かれることなく橋を渡ったのですが、対岸に着くと人々はあっけにとられた様子でした。陛下は大喜びで、最も美しい最高の品々を山ほど買い込んで、こう訊かれました。『これで二〇フォリントになるかしら?』。私が思うに、それは一五〇フォリントになろうかというものでした。それから小さな包みだけを持って、私たちは鉄道の駅に向かいましたが、道すがら二軒のブティックに立ち寄り、ようやく駅に着きました」。

結局この時は後払いとなったようだが、金銭感覚の欠如は、エリザベートが高貴の出だったことに起因している。ただし通常であればそうした地位の人間は、大勢のお付きに囲まれて移動するのが常識であり、お忍びなどはごく稀なことだった。貴族の一般的常識からも、庶民の一般常識からもかけ離れた、つまりどの社会層から見ても「非常識」なエリザベートの立ち位置。だからこそ彼女は、チーム・エリザベートを理想の形に作り上げていく過程で、宮廷内の伝統に亀裂を生み出してしまった。

ゾフィーの死に見るエリザベートの立ち位置

一方ゾフィーは、衰弱しながらも気丈に持ちこたえた。一八七二年の春先までは、公の場に姿を見せていた。ところが、風邪をこじらせたことが命取りとなってしまう。風邪をひいた時、ゾフィーは宮廷歌劇場に足を運んでいた。ウィーンの都市改造でも、宮廷歌劇場はリング通りの一番目立つ場所に構えられ、ヨーロッパの数ある都市の中でも最も由緒正しいオペラが上演される場としての地位を誇っていた。さらに劇場の造りも、ハプスブルク家の誇る文化施設として、古色蒼然としたルネサンス様式が選ばれた。それは、「都市改造」という新しい考え方を持つ一方、その背後に「新絶対主義」という古い考え方を元としたフランツ゠ヨーゼフと同家の姿勢の表れだった。そのような劇場をゾフィーが訪れたのも、文化政策を重要視してきた同家の姿勢を、改めて公に示そうとしたからである。

ゾフィーが息を引き取ったのは一八七二年五月二七日のこと。エリザベートはその直前までメラーノにいたが、ウィーンに戻り、彼女の臨終に居合わせている。いけすかない姑ではあるが、一応のところ嫁としての務めは果たした、というところなのだろう。

だが、目の上のこぶのような存在だったゾフィーに代わり、エリザベートが華々しく皇后としての務めを果たすようになったかと言えば、決してそうではない。むしろ、帝国を代表する女性として行動をすることに、彼女は消極的だった。ゾフィーの死後およそ一年間は「皇后」としての役割をそれなりに果たすが、「美」という私的領域と重なる部分でなければ公務は行わない、という姿勢だった。

ウジェニーとの「美脚対決」

一八六七年の八月。この時フランツ＝ヨーゼフは避暑先のザルツブルクで、マクシミリアンを「見殺し」にしたフランス皇帝ナポレオン三世と皇妃ウジェニーと対面する。そこへ、エリザベートも同席した。

ナポレオン三世訪問の目的は、形式的な弔問外交だった。と同時に、オーストリアを敵に回さないためだった。この年は、プロイセンを中心にしたドイツ語圏の諸国が、普墺戦争の勝利を契機に、オーストリアを外す形で将来の統一ドイツに向けて大きく前進を始めていた。ナポレオン三世が抱いてきた懸念が、いよいよ現実のものとなりつつあった。

となれば、プロイセンと敵対するオーストリアを取り込むことは必然だった。またオーストリアの側も、フランスの後ろ盾を得ることで、プロイセン主導の統一ドイツの動きの脅威を抑えたかった。だからこそ、ナポレオン三世が皇妃ウジェニーを同伴させてきた以上、フランツ＝ヨーゼフの側も、エリザベートに同席してもらう必要があった。

この時、エリザベートがウジェニーと「美脚対決」をしたという話が伝えられている。二人きりになった時、両者は互いにスカートをたくし上げて脚を見せ合ったらしい。

なお「自らの身体を見せる」という行為は、伝統ある貴族の家柄ではしばしば行われてきたことだった。たとえばフランス王として君臨したルイ一四世の肖像画を見ると、仰々しい装束に身を包みながらも、白タイツを履いた脚を覗かせている。フランス王家として君臨していたブルボン家の血を有している、ということを示すためである。

同じことが、エリザベートとウジェニーの美脚対決にも当てはまる、それは、二人の皇妃が表面的には無邪気に戯れているようでありながら、自らの身体に高貴な血が流れているか否かを相手に見せつける、という闘いであった。その点、エリザベートはウジェニーに比べて、完全に有利だった。もちろんウジェニーも美人の誉れ高い人物だったが、トータルで見ればエリザベートの方がはるかに勝っていたからである。

エリザベートは、文字通りハプスブルク家の看板を背負ってウジェニーと対決した。彼

宮廷衣装を着たウジェニー皇后。1853年頃。ヴィンターハルター画

女がその成立に力を注ぎ、今やハプスブルク家がその帝冠と王冠を戴く、オーストリア＝ハンガリー帝国の威信をかけての行動という意味合いもあっただろう。さらに言えばウジェニーは貴族の家の出身であるとはいえ、エリザベートの実家であるヴィッテルスバッハに比べても、位が低い貴族の出だった。

表面上の友好関係を装ったオーストリアとフランスの王家の対決には、やがてあっけなく終止符が打たれた。一八七〇年、プロイセンはドイツ諸国の国々と組んでフランスと一戦を交える。結果はフランスの負けとなり、ナポレオン三世は廃位に追いやられ、ウジェニーとともに国外に亡命した。翌一八七一年、プロイセン主導のドイツ帝国がいよいよ誕生する。樹立宣言の場所には、ヴェルサイユ宮殿があえて選ばれた。フランスの文化遺産で国家樹立を宣言し、徹底して宿敵の鼻をあかそうというプロイセンの狙いだった。

万国博覧会を取り巻く光と影

ゾフィーの死後、エリザベートが短期間、皇后としての務めを曲がりなりにも果たした帝都ウィーンの様子は、都市改造のおかげで賑わっていた。そうした最中の一八七三年、フランツ＝ヨーゼフの皇帝在位二五周年の祝いも兼ねて、この街で万国博覧会が催される。万国博覧会は、様々な発明が行われた一九世紀ならではの発明品の一つである。「国」

としての力を示すための文物を展示するだけでなく、ホスト国として世界各地から国々を招く。つまり国際協調のシンボルであると同時に、ホスト国としての存在感を他国に見せつける、一種のマウンティングであった。

万博を最初に始めたのは、「大英帝国」との異名をとり、一九世紀には世界に植民地を広げて繁栄するようになったイギリスである。その首都ロンドンで一八五一年に開催されたロンドン万博では、メインパビリオンとして、当時の産業革命・技術革命の粋を集め、鉄とガラスでできた「水晶宮」が建てられた。その中では、イギリスの発展を示す展示品の文物が、しかも圧倒的物量で示された。

これに対抗して、フランスでもパリ万博が開かれる。そしてしばらくの間は、イギリスとフランスが「万博競争」を行っていたところ、新たにオーストリアが参入した。オーストリアにしてみれば、プロイセン主導のドイツ帝国をはじめ、ヨーロッパの他国に遅れを取る中で、盛り返すための格好の機会だった。

ただしこれは、下降しつつある状況を何とか食い止めようとする、後ろ向きの姿勢でもあった。しかもその姿勢は、近代都市を目指して行われたウィーン大改造の末に出現したリング通りの景観にも現れる。非常に近代的な街並みが出来上がったと思いきや、リング通りの周囲はいわゆる「歴史主義」と言われる過去の様式（古代ギリシア、ゴシック、ルネサンス、バロック等の様式）を、そっくりそのままコピーしたスタイルで建てられていたからだ。

これにはいくつか理由がある。当時の市民階級は、まず何よりも経済的・社会的台頭を目指さなければならなかった。それゆえ、自分たちを代表するような芸術様式・建築様式を生み出せなかったのである。となれば、過去を代表する様式をそのまま持ってきた方がよい、という考え方につながった。

だがウィーンでは、市民階級が台頭したとはいえ、昔から続く有名貴族の家、つまりハプスブルク家の直系である皇帝の力がまだ強かった。ウィーン大改造も結局のところ、皇帝の鶴の一声で決まったようなものである。

となると、リング通りに建てられた過去の寄せ集めのような様式の建物群は、フランツ＝ヨーゼフによる過去への眼差しの表れでもある。それは、ハプスブルクの栄光が輝いていた過去、今やヨーロッパの他の強国に後れを取りつつあるものの、文化では負けない歴史を築いてきた帝国の栄光を、建築文化を通じて示そうというものだった。

ところが、そうした姿勢は完全に裏目に出る。過去から連綿と続く文化国的土壌の上に近代都市まで作りうる国家をアピールするためのウィーン万博が、開始早々暗礁に乗り上げたからだ。

序盤にウィーンの下町でコレラが流行る。これは、ウィーンの中心部分、つまり新時代の特権階級の生活向上を目指して都市改造が行われたがゆえの、社会的なひずみに起因していた。しかもそうしたひずみが、今度は当の成功した市民たちを襲う。万博開催の数日後には、株価が大暴落し、証券取引場ではパニックが起こる。一夜にして財を失った少なからぬ投資家たちが、自殺をとげた。自殺までには至らなかった人々も、生涯癒えない心の傷を負うこととなった。「頑張るほど右肩上がりの生活ができる」という、市民社会成立のために不可欠だった進歩史観が、幻にすぎないことが判明したからである。

「美貌外交」の危うさ

当初の思惑とは異なり、ある意味出鼻を散々にくじかれたウィーン万博だが、オープニングには、あれだけ国事行為を忌避していたエリザベートが、フランツ＝ヨーゼフと出席した。この万博には明治維新後の日本が初めて参加を果たしたが、その出品物の一つである日本庭園で、フランツ＝ヨーゼフと太鼓橋の渡り初めもしている。自らの美、つまり「私的」領域も含む自らのアイデンティティーを遺憾なく示すためには、世界各地から人々が集まる場こそが晴れ舞台としてふさわしい、という考えゆえだろう。

この狙いは、確かに美を示す点では大成功を収めることとなる。万博にやってきた世界各地の君主や大臣は、エリザベートの美貌を一目見ようと躍起になった。特にペルシアの君主ナーセロディン・シャーは、彼女に面会できない限り、ウィーンから出発しないという強硬策に出た。結局エリザベートが折れて面会を許すが、彼は彼女をまじまじと見た後で「何たる美人だ」と感嘆したということである。エリザベートとしてはしぶしぶの対面ではあったものの、溜飲の下がる言葉だったに違いない。

ただし世間は、エリザベートが「美」を披歴する目的で万博に出席している、とは解釈しない。つまり彼女が、皇后としてしっかりと職務を果たすようになった、という見方をした。さらに万博の開催直前、娘のギーゼラがバイエルンの公子と結婚し、翌年に子供を出産するに及び、エリザベートは祖母になった。となれば彼女もこれからは落ち着き、皇后にふさわしい務めを行ってくれるのではないか。世間はそう期待した。

だが実際のところ、帝国とエリザベートの関係は、脆弱性を孕んでいた。いくら彼女が美貌の持ち主であり、それに国内外の参加者が陶然となっても、結局「美」は時の流れとともに過ぎ去ってしまう儚さがある。エリザベートの「美貌外交」は、現実政治が安定していれば効果的だったかもしれない。だが、そもそもの現実政治が揺らいでいたために、そうした方向性自体が、きわめて不安定だった。一時的な好景気に浮かれ騒いでいたにもかかわらず、その足元には恐慌の危機が迫っていたウィーンのように。

またエリザベートの「美貌外交」は、ハンガリーのように彼女がひいきするところにはプラスに働くものの、そうでないところには決してよい効果をもたらさないという点もあった。たとえば、オーストリア=ハンガリー帝国におけるボヘミアの立ち位置である。ボヘミアでもやはり、オーストリアと同等の権限を求め、ハンガリーと同等の立場、つまり三重帝国の構想が存在した。だが、エリザベートと関係が深かったアンドラーシが、これに反対する。せっかく二重帝国が成立したところに、ここで三重帝国になると、自分たちの存在感が低下するためだった。

ボヘミアは、チェコ系がメインではあるもののドイツ系も多かった。ハプスブルク家の中でも親ボヘミアの傾向は根強く、それを前面的に押し出したのがゾフィーだった。

となると、エリザベートに対する親ボヘミア派の感情は、好ましいものではない。エリザベートがハンガリーにのみ肩入れすることに、不満が高まり関係が悪化した。しかもハンガリーにエリザベートがしばしば足を運び、その美貌を振りまいているとなればなおさらである。

というわけで、エリザベートはゾフィーの死後、一応国務行事に出席するようになったが、それが帝国全体の安寧をもたらすわけではなかった。むしろ、揺らぐハプスブルク帝国において、美貌政治はそれをますます悪化させた。エリザベートの訪問地に明らかな濃淡が生じれば、まとまるものも、まとまらなくなってしまうのが落ちだった。

直截(ちょくせつ)的な美の果てに

そうした意味では、エリザベートの存在は、ハプスブルク家や帝国を揺るがしかねない、危険な新しさがあった。伝統や帝国の伝統を守るには、「何もしない」ことがハプスブルクのお家芸になっていたのだから。エリザベートは、そうした状況に常に波風を立てた。

たとえばエリザベートは自分の背中に、錨(いかり)の形のタトゥーを彫らせた。彼女の旅行好き、特に海への愛情を物語るが、この行動は現代でも相当挑戦的である。あるいは、エリザベートが所蔵していた「美人コレクション」だ。「美人画ギャラリー」ということでいえば、すでに彼女の親戚筋であるルートヴィヒ一世が行っていたものの、それはあくまで「男から見た美人を集める」という、旧来的なジェンダー観に基づくものであった。

だがエリザベートのそれは「女性から見て魅力的な女性を集める」という視点が入っている点で、新時代のジェンダーの方向性を切り拓くものとなる。しかも、コレクションには本当に「階級」というものがなかった。パリの怪しげな踊り子から、貴婦人に至るまで、身分にかかわらず、「美」が全ての中心となっていた。

さらにその「美」のあり方が、「美人画ギャラリー」のように、油絵のこってりとしたタッチに対応した、優美でふくよかなものではなかった。写真という、全てをリアルに捉える最新技術を通じて撮影された、直接的な、身体的な美と連動していたからである。つまりそうした美は、身分とは関係なく具わっている身体的特徴であり、長い目で見ればジェンダーや身分も含む、既成の社会的価値観を乗り越えていく要素であった。

エリザベートを撮影した写真も、彼女がある程度の年齢に達するまではいくつも存在している。だが、たとえば彼女が好んで着ていたチュニジア風の、つまりヨーロッパにとってみれば「野蛮」で「遅れた」地域のスタイルのデザインの服が、いつの間にか毛皮に修正されているものもある。彼女としては、貴賤を問わず美しいものを好んだが、周囲からの圧力としての修正もまた加えられていった。

このように考えると、実のところ写真もまた、必ずしも「真」を写すメディアではない。だが歳をとってからのエリザベートが、写真を撮られることを拒否したことを考えるに、彼女にとってはこのメディアこそが、正確さやまたスピード感から一番直截的に「美」を捉えられる存在だったのだろう。彼女はあくまで「私」が「公」の場で、しかも美という要素のみを伴って効果を発揮する機会を目指していた。

それでも、「私」という実体が強固に存在しているのであれば、「公」を揺り動かすことも可能だろう。だが、美という「私」の側面が入った事柄は、皇妃という「公」の特別な地位を駆使することで、初めてそれを実現できるという矛盾を抱えている。その上、彼女にとって「私」の一番の武器であるはずの美が、衰えと表裏一体の関係をなし、場合によっては民族間の対立をも引き起こしかねない不安定要素を具えている。そのことを考える時、「私」がすなわち「美」であるという姿勢は、きわめて脆弱性を孕んでしまう。

他に「私」というものが強固に存在すれば、それはそれでよかったのかもしれない。だが当の「私」が何であるのかということすら揺らいでしまうのであるとすれば、その先にはひたすらな虚無感しかなかったのではないか。

大きな期待感の中に始まった新世界が、早々に抱えることとなった闇。それは、都市改造という光の陰で様々な問題が生まれていることを、万博という晴れの場で露呈したウィーンだけに限られた話ではあるまい。エリザベートが「公」の生活から遠からず消え去っていった原因も、そこにあったと考えられる。

第九章　反時代的な動き　反時代的な存在

世紀転換期の象徴として

ウィーン万博開催後の株価暴落事件は、裸一貫の状態から身を起こし、右肩上がりの夢を持って生きてきた市民階級を中心とした社会の成長神話を、徹底して打ち砕いた。またそうした中で、多数の市民が自らの人生の方向性を見失い、大きな失望感に見舞われることとなった。それでも特に若い世代の市民の中からは、父祖が夢見てきた成長神話一本槍の世界観を乗り越え、新たな価値観を作ろうという機運が満ち始める。

こうした動きは、やがて一九世紀末に花開く、いわゆる「世紀末」あるいは「世紀転換期」の文化や芸術へと結びついていった。また旧来の価値観に動揺を与え、それを切り崩していこうという姿勢自体、エリザベートがすでに行っていたものだった。

世紀転換期とエリザベートとは、重なり合う部分が少なくない。何よりも特徴的なのは、儚い美への着目である。たとえば画家のグスタフ・クリムトは、世紀転換期の芸術潮流を代表する一人である。彼の描く女性像は妖艶さの具わった美女である一方、儚さがつきまとっている。またそうした儚さがあるがゆえに、その美しさもまたいっそう引き立つ。

クリムトは、リング通りにも多数出現したいわゆる「歴史主義」の伝統の中で生まれ育ちながらも、そこから決別した人間だった。そして彼が袂(たもと)を分かった歴史主義の絵画でも、多くの美女が描かれてきた。

ただし歴史主義絵画の美女たちと、クリムトの筆になる美女との決定的な違いは、「儚さ」という要素の有無である。歴史主義の様式で描かれた美女には、たっぷりとした安定感がつき物であるのに対し、クリムトのそれには常に不安定な翳が伴っている。彼にとっては、時代の不安を作品に映し出すことこそが、芸術家として正直な生き方だったのだろう。

そうした意味合いでは、エリザベートの美しさも、多かれ少なかれクリムトに影響を与えたと考えられよう。彼が画家として活躍を始めたのは一八八〇年代。この頃はすでに、エリザベートの新たな公式写真は一切出現しなくなっていた。エリザベートが最後に公式写真を許可したのは三一歳、つまり一八六八年のことだったからである。それゆえに、彼女の美しさは生きながらにして伝説化され、多様なイメージを世紀転換期の担い手の中に育んでいく。

溢れんばかりの美貌を具えていようと、人間は時をとどめることができない。それは、近代社会でも同様である。だからこそ一瞬の美に深く心をとめ、それを表現することで、新たな生のあり方を模索する。クリムトだけではなく、同じ時期にウィーンに活躍した芸術家や文化人にも、そうした世界観は少なからず影響を与えていった。そのような彼らの創造の元となったのが、エリザベートだった。

意図的な「皇后不在」

世紀転換期の人々がエリザベートから着想を得たと思しき要素は、いくつも存在する。たとえば、「美」と並ぶ彼女の代名詞でもあった乗馬や激しいスポーツ、さらには伝統的な宮廷の慣習からの逸脱である。あるいは時に神経症にも陥りかねない極度なほどの繊細さやスピード感を活かし、自分の存在を鮮やかに打ち出そうとする独特の姿勢。それは、クリムトをはじめ、世紀転換期の造形芸術の特徴をなす、ユーゲント・シュティール（アール・ヌーヴォー）の技法にも通じるものだ。

また魅惑的な美で男性を幻惑しながら、フランツ＝ヨーゼフをも含む当の男性社会を揺るがせていく姿は「ファム・ファタル」、つまり「宿命の女」としてのイメージを、芸術家たちの中に呼び覚ます。実際彼らは、恐れと憧れをないまぜにしながらも、圧倒的な男性優位が築かれてきた近代社会の閉塞感を打ち破る存在として、そうした女性像を積極的に描いていった。

このようなファム・ファタルのイメージで、エリザベートを描いた一枚の絵も存在する。アントン・ロマコという人物によるもので、彼はどちらかといえば歴史主義的な作風の画家だ。だがそうした画家でさえ、エリザベートをテーマにした作品を描く際には、世紀転

エリザベート。1883年。アントン・ロマコ画

換期に話題を呼んだファム・ファタルの要素をそこに加えてしまう。

確かにこの絵のエリザベートは、黒い森をバックに、絵を観る者を誘惑し、射すくめるような眼差しで立っている。脇には獰猛な表情の大型狩猟犬が描かれており、それは彼女の分身として、こちらに飛び掛かってきそうな気配を湛えている。

ただしエリザベート自身は、世紀転換期的な要素を具えながら、一時代を画す刷新力の中心となることはなかった。むしろ彼女は、ウィーン万博での公式行事を果たした後、公に関わる機会を激減させ、以前と同様、皇后不在の状況に立ち帰ってしまう。

一八七九年、フランツ＝ヨーゼフとエリザベートとの銀婚式を祝い、ウィーンのリング通りを舞台に賑々しい祝典が催された際、エリザベートは辛うじて出席したものの、心底退屈した様子を見せた。今やゾフィーは亡く、「チーム・エリザベート」が宮廷内に確立されており、彼女にとっての障害は一掃されていたにもかかわらず……。

さらにエリザベートは、ウィーンにさえ寄り付かなくなり、旅から旅への生活を送るようになる。一八七四年にはイギリス、一八七五年にはフランス、一八七六年と七七年にはイギリス、一八七九年から八〇年にかけてはアイルランドとイギリス、一八八一年と八二年には再びイギリス。一八八五年にはオリエント、一八八七年にはアルバニアとギリシア。これら大規模な旅行の他にも、湯治や避暑の小規模な旅行が無数に行われる。確かにその頻度が、度をこしていたためだろう。一八八八年に父親のマクシミリアン＝ヨーゼフが亡くなった際には、葬儀のためにバイエルンへ赴くよう、フランツ＝ヨーゼフ自らがエリザベートに、旅行禁止令を下したほどである。

糸の切れたような生き方の原因

糸の切れたような人生を送るようになったエリザベート。その原因は、いったいどこにあったのだろうか。

直接的には、長年にわたる宮廷生活の中で疲弊し、宮廷そのものを嫌悪するようになったことが挙げられる。またそれに加え、療養旅行を通じて自由の味を知ってしまい、なおのこと宮廷に居つく気がなくなってしまった。

ただし、別の見方もできる。つまりエリザベートは、宮廷という「公」の場で抑圧された「私」のありかを探し続けた結果、それを探しあぐねたまま、「公」の中にも「私」の中にもついに居場所を失ってしまったのではないか。それほどまでに、「私」という存在は、歳を重ねるほど、不明瞭かつ手に負えないものと化していったのである。

そもそも「私」という考え方は、これまでにも書いてきた通り、市民社会の産物である。彼らは実際、自己実現を図るべく様々な障壁を乗り越えながら、理想的な「私」の状態を手に入れられると信じ、実現してきた。ただしそうした生き方そのものが、株価大暴落等によってあえなく崩壊する中、そもそも「私」などというものは存在しないのではないか、という見方が頭をもたげていく。

それを明確にしたのが、実は世紀転換期の担い手たちだった。彼らは、「私」が全ての事象を捉えられるという考え方自体がまやかしにすぎないこと、人間の意識を超えたものがこの世界には数多存在することを主張した。人間の通常の速度感覚を超える音速、つまりマッハ速度を提唱したエルンスト・マッハや、無意識の世界を発見し、精神分析への道を切り拓いたジークムント・フロイトしかりである。

ただし、そのような「私」が「私」ではないという認識は、ある意味きわめて酷なものである。またその認識と正面から向き合い、新たな動きを起こすには、相当な若さとエネルギー、さらには「私」という存在を奉っていた時代との決別が必要である。

その点エリザベートは、何か新たな行動を起こすには、憔悴しすぎていた。そしてあまりにも、新旧の時代の狭間の世代に生きすぎた。つまり「私」という常識が崩壊した後にようやく成人となった世紀転換期の文化人や芸術家とは対照的に、エリザベートはまだそうしたものが健在であると考えられていた世界の中で、「私」を信じ、「私」を抑圧する「公」と戦い、多くの傷を負わなければならなかったからである。

さらにエリザベートにとって、「私」が「私」であるための最大の武器である「美」を維持するためには、その莫大な費用ゆえ、「公」にどうしても依存せざるを得ない。つまりハプスブルク家の伝統という「公」の要素は、彼女にとって時に闘うべき対象ではあったものの、同時にそれを破壊することもできなかった。つまり「公」との密かな共犯関係の上に立っている以上、エリザベートの「私」には不安定さが常にあった。

このようにしてエリザベートは、「私」を生きることを望みつつも、その「私」が何であるか分からないという状況の中を、手探りで歩んでいく。「私」の中に完全に閉じこもることさえ、当の「私」が揺らぐと難しい。ゾフィーの死後、ようやく「私自身」の時代を手に入れたようでありながら、実はそうした考えの無力さを知った彼女が、それでも何かにすがるべく、放浪に明け暮れるようになったゆえんである。

過去への逃避と歴史主義

「私」が「私」ですらありえなくなりつつあった時代の中、すがるべきものを求め続ける。そうしたエリザベートの行動を考えるには、ある親族に注目する必要があるだろう。エリザベートにとっては従弟の子供にあたる、ルートヴィヒ二世である。

年齢が八歳も離れていたことと、エリザベートが若くしてハプスブルク家に嫁いでしまっ

ルートヴィヒ2世。1864年

たため、両者はなかなか再会の機会に恵まれなかった。だが一八六四年、ルートヴィヒ二世が父王であるマクシミリアン二世の急逝を受けて一八歳の若さでバイエルン国王に即位して以降、彼らは度々会うようになる。「私」を押しつぶしかねない国や宮廷への嫌悪感、はるかなる世界に憧れる夢想癖といった要素が、両者を結びつけていったのだろう。

実際ルートヴィヒ二世は、王太子だった時代から、当時話題のリヒャルト・ワーグナーのオペラに魅了されていた。そこで王に即位するとすぐさま、借金生活で逃亡中の彼を見つけ出し、ミュンヘンに住まわせた上、宮廷歌劇場でその作品を次々と初演させた。また、彼のオペラに登場する名シーンを再現した城を次々と建てた。結果、その浪費ぶりが議会に糾弾され、精神疾患という理由で幽閉された挙げ句、謎の死を遂げた。

ルートヴィヒ二世の築城熱の代表的存在と言える中世風のノイシュヴァンシュタイン城のすぐ近くには、これまた中世風のホーエンシュヴァンガウ城がある。こちらは父親であるマクシミリアン二世が建設し、ルートヴィヒ二世もそこで幼年時代を送った。つまり父子揃っての中世好きだったわけだが、ルートヴィヒ二世の場合は、はたから見れば現実感覚を失っていると思わせるまでの熱狂ぶりだった。

それにしても、なぜルートヴィヒ二世は近代以前の時代を熱愛したのだろう。一つには、王侯貴族が圧倒的な力を持っていた時代への憧れがあった。ルートヴィヒ二世は、フランス語読みで自分の名前が「ルイ」となることから、目指すべき理想は絶対王政を確立したフランス王ルイ一四世である、と考えていた。

さらには、ルートヴィヒ二世、そしてヴィッテルスバッハ家のフランス好きが挙げられる。同家の黄金時代ともいえる一八世紀、ミュンヘン郊外に構えられた離宮ニュンフェンブルク宮殿は、フランスのロココ式の宮殿を手本にしていた。だがルートヴィヒ二世の生きた時代のバイエルンは、すでに斜陽の時代を迎えていた。プロイセンが主導するドイツ統一に一旦反旗を翻すものの、最終的には逆らえず、ついには巨大なドイツ帝国に呑み込まれてしまったからである。このような状況の中、元々夢想癖の強かったルートヴィヒ二世が、現実逃避として過去に眼差しを向け、それを建築物に結実させたのは当然かもしれない。

この姿勢は、エリザベートにも認められる。たとえば、ギリシアのコルフ島に建てられ、一八九一年に完成された彼女専用の宮殿アキレイオン。その外観や庭園に配置された数々の彫刻は、古代ギリシア風の様式を踏まえたものだった。「アキレイオン」という名称自体、ギリシア神話に登場するアキレウスを念頭に置いたものである。そしてそれは、ウィーンに背を向けてギリシアに熱狂したエリザベートを端的に物語る証拠となっている。

またそうしたエリザベートを心配したフランツ＝ヨーゼフが、彼女が極力ウィーンにいてくれるよう、ウィーンの森の中に一八八六年に完成させた離宮がある。こちらはヘルメス・ヴィラといい、ヘルメスという、やはりギリシア神話に登場する神の名前が冠されているのが特徴だ。外観は、古代ギリシアの復興が唱えられたルネサンス時代の建築様式を踏まえた、いわゆる「ネオ・ルネサンス様式」となっている。

アキレイオンやヘルメス・ヴィラは、過去の様式を踏まえた「歴史主義」を採り入れている。ただしそれらが、過去の完全な引き写しというより、過去の様式を一九世紀風の観点からアレンジしたものであることも、確かだ。それに比べると、ルートヴィヒ二世の建てた夢の城は、外観を見る限り、過去の建築物の完全なコピーである。そこまでして彼は、徹底して自分の生きている時代に目を背け、過去の世界に没頭しようとした。

古さと新しさがもたらす「反時代性」

ただしルートヴィヒ二世は、極端な「歴史主義」に走る一方、時代の先を行く感性を持ち合わせていた。そのキーワードこそ、彼が没入したワーグナーである。

ワーグナーが旋風を巻き起こし続けた理由。それは、彼が伝統的な西洋音楽の枠組みを、崩壊寸前のところまで押し広げたことにある。和声、オーケストレーション、音量……。どれをとってもそれは、時代の最先端を行くものだった。

ノイシュヴァンシュタイン城。1886年頃。ヨーゼフ・アルベルト撮影

ヘルメス・ヴィラのエリザベートの寝室

何しろワーグナーは、一九世紀市民社会の基本理念の一つともいえる「進歩進化」の思想を、自らの作曲活動を通じて体現しようとした人物である。しかも彼自身は、「近代的」な理念の持ち主でありながらも、「進歩進化」を追い求めるあまり、最終的には「近代」をはるかに踏み越える作品を創造するまでになってしまう。結果、近代的な価値観ではもはや捉えきれない彼の美学や哲学は、毀誉褒貶（きよほうへん）にさらされながらも、世紀転換期の新たな価値観を求める若い芸術家にとって崇拝の対象と化していく。

だが対照的に、ワーグナーが自らのオペラで扱ったテーマは、ゲルマン神話や中世ドイツの伝承など、古色蒼然としたものがほとんどである。それらもまた、ドイツに統一国家を作ろうという「近代的」な動きが活発化する中、そうした動きに掉（さお）さす姿勢の産物と言えよう。つまり、従来各地に分かれていた人々を一つのドイツ人としてまとめあげるために、そこに参画する大多数の人間が「これぞドイツ文化だ」と納得するものが求められていた。

古いものと新しいものの奇妙な混在。それは、当のワーグナーを信奉したルートヴィヒ二世の中にも顕著に認められる。ルートヴィヒ二世は、ルイ一四世のごとき矜持を持った「王」を目指し、莫大な費用を投入してワーグナーの擁護や、数々の築城を行う。そうした点では、いかにも古めかしい君主である。だがその「反時代性」が、逆に近代社会の問題点を炙り出す。その典型こそが、「議会」に対する懐疑であった。しかもそれは、ルートヴィヒ二世が独裁的な支配に憧れたということではなく、議会が実際に国民の声をどこまで反映しているのかという疑念からきたものだった。

それが証拠に、ルートヴィヒ二世自身は、一定層の庶民からは非常に愛されていた。議会がルートヴィヒ二世を狂人として逮捕幽閉すべく、ノイシュヴァンシュタイン城に手勢を送り込んだ時のこと。議会の動きを察知した地元の農民をはじめとする多数の民衆が、ルートヴィヒ二世を護るべく城に馳せ参じた逸話が伝えられている。

都市部に住む市民を中心とする「民」と、地方に住む農民を中心とする「民」とでは、王への認識に大きな違いがあった。ルートヴィヒ二世の築城をめぐる財政支出の件一つをとっても、それを浪費として糾弾するか否かについて、彼らの間で意見は割れていた。

となると、「民主的」な「選挙」によって選ばれたはずの議会が、本当に全ての国民の代表者なのか、一部の市民の声しか反映していないのではないか、という疑念が生まれるのは当然だろう。現在のような普通選挙法ではなく、裕福な市民を中心とした人々のみがようやく選挙権を持てるようになった時代の話である。だがそうした疑念が存在しようとも、今や議会は民の声を代表する機関として、経済の最優先と財政の引き締めを声高に主張し、ルートヴィヒ二世を追い詰めていく。

実のところルートヴィヒ二世の築城熱やワーグナー擁護は、単に彼の個人的な趣味を超え、文化政策の問題、さらには国のあり方や存在感とも関わって来るものだった。しかも君主が文化政策を自由にできた時代とは異なり、近代市民社会では国の経済力が最優先課題とされ、その浮き沈みによって文化政策への力の入れ具合が簡単に変わっていく。文化力の充実が最重要であるという考え方は、そうした政策が伝統的に重視されてきた当のヨーロッパにおいてすら、変化を遂げつつあった。

このような状況にも、ルートヴィヒ二世は反時代的な姿勢をとる。彼にとっては文化力こそが、国家の存亡に欠かせない要素だった。とりわけドイツ統一の主導権をプロイセンに握られる中で、バイエルンの存在感を示すためには、もはや文化力以外にはないというのが彼の基本姿勢だった。

ゆえにルートヴィヒ二世は議会から糾弾され、失脚していった。だが、ほぼ同時期に起きたウィーンの株価大暴落事件のように、経済を最優先とする近代市民社会のあり方が、袋小路に陥り始めていたことを考えてみよう。となるとルートヴィヒ二世は、世紀転換期の文化人や芸術家がもたらした価値転換にもつながる新しさを具えていた、とは言えないか。もちろんその日を見ずして、ルートヴィヒ二世は死んでしまうのだが。

同性愛と婚約騒動

さらにルートヴィヒ二世が抱えていた同性愛の傾向も、反時代的かつ時代を超えた革新性を具えていた。そもそも、家族という単位に基づいて経済活動を展開していくことが信条とされた市民社会では、異性愛、異性婚こそが、唯一のあるべき姿だった。もちろん異性間のつながりは、王侯貴族の間でも重要視されていたが、それがさらに強化されたと言えよう。また逆にそうした状況は、同性愛を異常なものと見なし、犯罪や病気として片付けていく傾向を生み出した。

だがルートヴィヒ二世自身、そうした反時代的な傾向の持ち主だった。しかもそれがこじれて一大スキャンダルとなったのが、エリザベートの妹、ゾフィー＝シャルロッテとの婚約騒動である。ルートヴィヒ二世は同性愛者であったにもかかわらず、一八六六年にポッセンホーフェンの屋敷を訪ねた際、自分と同じワーグナーの愛好家であった彼女と意気投合した。そしてワーグナーの話で盛り上がり、翌年に婚約まで行った。

ただしここからが、遅々として進展しなかった。ルートヴィヒ二世は、あくまでワーグナーのオペラの作り出す空想の世界のみでシャルロッテとつながっており、そこに異性に対する愛情は存在しなかった。さらに彼は婚約者の中に、その姉であるエリザベートへの

ゾフィー=シャルロッテとルートヴィヒ2世

面影を見て取っていた。確かにルートヴィヒ二世は同性愛者であったが、同時に絶対的な美を愛する同性愛者であったため、美しさへの希求が、はるか年上のエリザベートに向かった、というわけである。

結果、ルートヴィヒ二世とシャルロッテとの婚約は破綻する。しかも最後の引き金を引いたのは、彼女の父親であるマクシミリアン＝ヨーゼフであった。彼の名前で、ルートヴィヒ二世への最後通告が突きつけられたのである。

もちろんそこには、「家長の名において」という義務的な要素がつきまとっていたことは見逃せない。実際これまでも、家族や身分ということに無頓着だった彼が、どこまで積極的に関与したかについては、不明な部分も多い。だが少なくともマクシミリアン＝ヨーゼフの名義で、しかも傍流の家から本家の君主に対して通告がなされたほどの、のっぴきならない出来事だった。

こうして、ルートヴィヒ二世とシャルロッテの婚約は消滅した。しかもこのことを受け、エリザベートがルートヴィヒ二世に対する激怒と絶交を表明するという事件が続く。

とはいえルートヴィヒ二世とは、互いに自らの置かれた境遇や、それゆえの悩み苦しみ、ひいてはそこから逃避願望を共有し合ってきた仲である。そのようなエリザベートが、ルートヴィヒ二世の行動に共感するならばともかく、なぜ事もあろうに怒りをぶつけたのだろうか。

エリザベートの怒りの理由

まずは、ゾフィー＝シャルロッテに対する姉としての思いが挙げられる。自分の大事な妹が、性的な関係や関心を全く示そうとしないルートヴィヒ二世の前に、逆に「慰み者」にされてしまう。そうした事態にエリザベートが激憤したとしても、おかしくはない。

それでも、あえて考えてみよう。エリザベートのルートヴィヒ二世に対する激しい怒りは、単に妹に対する姉の思いゆえのものだったのか。

一連の婚約騒動があった一八六六年から六七年。それは統一ドイツの覇権をかけて、オーストリアがバイエルンと組み、プロイセンと戦うものの敗北を喫し、オーストリア＝ハンガリー帝国が樹立した時期と重なる。つまり、オーストリアとバイエルンの関係が平時以上に強固でなければならないところを、ドイツ統一をめぐる大事な戦争にバイエルンが負け、さらにバイエルン王の婚約破棄というスキャンダルまで勃発した。オーストリア皇后でもあるエリザベートにしてみれば、そうした状況を見過ごせなかったのだろう。

ただしエリザベートは、単に政治同盟上の信頼関係が崩れたという理由のみから、ルートヴィヒ二世の行動に憤激したわけではあるまい。むしろそこには、政治面にのみとどまらず、プロイセンの価値観に対抗するための協力関係が脆弱化することへの懸念、またそれをむざむざ招いたルートヴィヒ二世の不甲斐なさへの失望があったのではないか。

プロイセンは規律第一を重んじ、軍備や重工業の増強を図ってきた国である。というのもこの国が寒冷かつ沼地が多い不毛の地にあり、元々農業をはじめとする第一次産業が振るわなかったためだった。だからこそ、規律性や効率性を第一とするいわゆるプロイセン気質が生まれ、近代市民社会の重要な要素にもつながる産業や経済による国おこしが活発になった。

だがそうしたプロイセン気質は、多民族、多文化ゆえの危ういバランスの上で自国を維持していかなければならないオーストリアにとってみれば、到底受け入れられるものではない。規律性や効率性を押し通せば、全てが瓦解しかねない危険性を孕んでいたからである。何しろある時期まではトップダウン型の統治を目指していたフランツ＝ヨーゼフでさえ、結局全てをなすがままにせざるを得ない現状へと追い込まれていく。彼はある時から公の場では専ら、「大変よかった、余は満足じゃ」としか口にしなくなった。

逆にこのような状況ゆえに、エリザベートは皇后の務めを果たさずに済んだと言えるかもしれない。つまり、悪く言えば「緩さ」、よく言えば「遊びの余地」がオーストリアには具わっていた。だからこそ、エリザベートの「美貌」を用いた方が、下手な規律を持ち込む以上に、民族運動に揺れる巨大帝国を何とか維持できる、という話も生まれた。

このような「遊びの余地」の重要性は、オーストリアとは国の規模も多民族の問題も大きく異なるとはいえ、エリザベートの出身であるバイエルンでも同様だった。愛人問題で引退を余儀なくされる王がいたり、あるいはその孫が王になるや否や、近代的君主とは真逆をいく芸術文化擁護を展開したりする。プロイセン優位で事が進むドイツ統一の中で、それでも何とか国が成り立っているという状況そのものが、プロイセンへのアンチテーゼとして、バイエルンやオーストリアの強力な武器となるはずだ。

そのような、反プロイセン、反近代社会、さらにいえば反時代的な緩やかな価値観の君主国の同盟に、エリザベートは期待していたといえる。そしてフランツ＝ヨーゼフはともかく、ルートヴィヒ二世こそは、その期待に応えてくれるはずだった。

ただしあまりにもルートヴィヒ二世の脇が甘すぎた結果、反時代的価値観による存在感の主張などは、夢物語にすぎなくなってしまう。オーストリアもバイエルンも、彼らを取り巻く時代を超えた世界を出現させるべく、ともに戦わなければならなかった時期であった。そんな時にいかにも弱々しく、隙だらけの反時代的姿勢しか打ち出せなかったルートヴィヒ二世に、エリザベートは裏切られたという思いを強くしたのだろう。

ただしそれでも、二人が絶縁することはなかった。数年の冷却期間を置いた後、ルートヴィヒ二世とエリザベートの交友は再開された。

その間に立ったのが、エリザベートの一人息子であり、オーストリア皇太子のルドルフである。ルドルフは、幼い頃エリザベートと引き離されて育てられた。また成長してからも、エリザベートがしばしばウィーンを不在とする中、孤独や不満に苛まれた。それゆえ成人してからも、母への思慕、さらには母の美貌ゆえの屈折した愛情を抱き続けた。

こうした育ち方をしたためか、ルドルフもまた非常に感受性が強く、傷つきやすかった。またそれゆえに、ルートヴィヒ二世とエリザベートの関係が修復される中で、エリザベートはルドルフをしばしば伴って、ルートヴィヒ二世と面会するようになる。現実を取り巻く価値観とは相容れない自分の血を引くルドルフに、やはりそうした価値観に生きる君主の存在を見せて導こうと考えたのだろう。

とはいえ、ルートヴィヒ二世とエリザベートは、頻繁に面会していたわけではない。というのもルートヴィヒ二世自身、きわめて厭世的（えんせいてき）であり、かつ気まぐれな性格の持ち主だったからである。エリザベートもまたそうであった。つまり彼らは、空想の世界の中で互いに交流を重ねることに満足した。そうした関係を築くことで、プロイセン的規範が勝利を収めた現実から、一瞬ではあろうとも遠ざかることができた。

そんな彼らには互いを呼ぶ合言葉があった。ルートヴィヒ二世は「鷲」、エリザベートは「カモメ」。自由に空を飛翔したいという、現実世界に背を向けた願望の表れであり、「鷲」は王族の威厳と栄光を現すものとして、しばしば用いられていた。

エリザベートの嫁ぎ先のハプスブルク家の紋章も「双頭の鷲」である。これは元は同家の紋章ではなく、彼らが長らく帝位を独占した神聖ローマ帝国のものだった。様々な国々を緩やかにまとめるためには、時には正反対の顔の両者を具えながら、それらを自らの翼の下に収める必要がある。そんな超越性を具えた存在として、「双頭の鷲」が用いられた。

だがエリザベート自身は、そうした「双頭の鷲」の伝統の中で、大きく傷付くこととなった。その点、ルートヴィヒ二世はある意味、ハプスブルク家が直面しているような複雑な政治や伝統とは一線を画す鷲だった。

なお鷲自体、自由に飛び回る象徴だが、その飛翔はむしろ陸上であり、だからこそ支配者の象徴になる。その点、カモメは陸と海双方の上を飛ぶ。海と陸との境界線を好きに飛んでいくより大きな自由さが、カモメの特徴である。

そうした中で、エリザベートはある時、バイエルンのシュタルンベルク湖の中にある

「薔薇島」にひっそりと佇むルートヴィヒ二世お気に入りの隠れ家を訪ねた。だが案の定というべきか、ルートヴィヒ二世はそこにはいなかった。そこでエリザベートは、書き置きとして次のような詩をその隠れ家に残したのである。

『挨拶』
山々の頂の彼方を翔る鷲のあなたへ／海のカモメが挨拶を送ります／
泡立つ波々から／永遠の雪を戴く高みへ向けて

かつて私たちは出会いました／原初の暗さを宿した永遠を前に／最も
愛すべき鏡のような湖の畔で／薔薇の花咲く時代へ向けて／私たちは
黙って肩を並べ／深い安らぎの中へ沈んでゆきます／小さなボートに
乗った黒い人影が／歌を歌っているのが聞こえるだけ

似た者同士だからこそ創りえた詩。ただし彼らがどこまで「深い相互理解」の中にあったのかは分からない。ルートヴィヒ二世もエリザベートも、「私」が失われゆく、あるいは「私」を探しあぐねる状況の中で、それでも自分の思いを相手が理解し共有してくれるであろうと互いに思い込んでいる。だからこそ、そうした状況が破られるや否や、両者の間は一時的に修復不可能なまでに関係が悪化するものの、熱さが喉元を過ぎると再びよりを戻す。

だがそんな奇妙な二人の関係も、一八八六年のルートヴィヒ二世の死によって、あっけなく終わった。ルートヴィヒ二世が議会から「狂気」のレッテルを貼られて幽閉された出来事は、すぐさまエリザベートの耳にも届く。彼女は直ちに、シュタルンベルク湖まで向かい、幽閉場所のベルク城と湖を隔ててほぼ反対側にあるポッセンホーフェンの屋敷に入った。

エリザベートはルートヴィヒ二世のすぐそばにいて、彼を助けたいと考えようである。結局この望みは叶うことなく、ルートヴィヒ二世は自殺とも他殺とも分からない状況で、湖の浅瀬で水死体となって発見された。エリザベートが取り乱さんばかりの悲しみを見せたことは、言うまでもない。単に親しい親族が亡くなったという以上に、「私」を探しあぐねていた彼女が、すがれる存在を失ってしまったからだろう。

第十章　「私」が消えたその後に

それでもエリザベートには、まだ心のよすがが残っていた。息子であり、皇太子のルドルフである。愛情に恵まれていたとは言いがたい幼少期を経て成人し、人一倍の繊細さと、エリザベートに対する屈折した思いを抱き続けた彼は、どのような道を歩んだのか。

エリザベートはルドルフへのスパルタ式の帝王教育こそやめさせたものの、これまでの皇后のように、つかず離れずの関係を保って幼い皇太子に接することはしなかった。つまり彼女はウィーンから大きく距離を置き、事あるごとにルドルフを一人にしてしまったからである。ルドルフにとっては、戸惑いしかない。

生まれながらに皇太子になることを定められた人生、また突如訪れた自由ゆえに、いっそう強く感じるようになった孤独。これらは、彼の政治的関心にも色濃く表れる。

直接的な原因は、幼少期にスパルタ教育を施したゴンドレクールがエリザベートの命令によって解任され、ヨーゼフ・ラトゥールが家庭教師になったことだった。というのもラトゥールは、ゴンドレクール同様軍人として前半生のキャリアを築いたのだが、元々は弁護士を目指したインテリでもあった。そしてエリザベートの旅に護衛として付き添う中で、彼女からルドルフの養育係候補として注目された。そして、一八六五年のゴンドレクール

軍服を着た幼いルドルフ

の解任とともに、ラトゥールはルドルフの養育係の長となり、彼にこれまでとは打って変わった自由主義的な教育を施した。

ただし、そうした任務に就くにあたり、ラトゥールは「少将」の位を得ている。つまりあくまで、「軍人が皇太子の教育に当たる」という建前が維持され続ける。結果ルドルフも、自身の思想信条という「中味」はともかく、「外側」では軍服をしばしば着用した。こうして彼は、「軍服を着た自由主義者」という矛盾の中に生きていく。

ジレンマに陥る「皇太子」ルドルフ

その一例は、自由主義的な新聞『新ウィーン日報』の編集者、モーリッツ・ツェプスと知り合いになったことが挙げられる。加えてフランス共和制の中でも、特に社会主義的な姿勢の持ち主であったジョルジュ・クレマンソーと知遇を得た。さらにユリウス・フェーリクスという匿名で、『新ウィーン日報』に投稿を行う。ついにはその匿名で、『オーストリアの貴族とその使命　ある青年貴族による警告書』なる、現行の貴族制への批判の書を刊行するまでになった。

ルドルフは、貴族が一部の裕福な市民と結託して、権力の座に居座り続ける状況に強烈な否を唱えた。つまり幅広い庶民を優遇することを念頭に、貴族が先頭に立って普通選挙や真の意味での平等を実現する帝国に変えるべきである、という考えであった。

ただし、これは「皇太子」としてのルドルフの足元を揺るがし、彼に対する反発も引き起こす。それは守旧派からのものだけとは限らない。自由主義的な貴族の中からでさえ、行き過ぎた政策提言は貴族制の崩壊につながる、という意見が聞こえ始めた。そうでなくても貴族制が崩壊すれば、ルドルフ自身が「皇太子」という権威を持つ者として改革を行うこと自体が不可能になる。

またルドルフの行動は、フランツ＝ヨーゼフの怒りも買う。フランツ＝ヨーゼフは、現実政治の世界ですでに新絶対主義を撤回していた。とはいえ、皇帝という権威はハプスブルク家の巨大領土を維持するために不可欠な存在である、と考えていた。

実際フランツ＝ヨーゼフはそうした状況を維持するために、リング通りの建設等を通じ、裕福な市民階級との妥協を行った。そして彼らを体制側に引き入れることで、皇帝の権威を保とうとした。こうして皇帝の下には貴族がおり、さらにそれを補強する形で裕福な市民がその周囲を取り囲むという、都市改造後のウィーンの中心街とリング通りにもなぞらえられる構図を作り出した。

それを壊すことは、皇帝の権威失墜、そして領土の崩壊、挙げ句の果てには同家の支配の終焉を意味する。フランツ＝ヨーゼフとして、到底受け入れられるものではなかった。

ではエリザベートはどうか。ルドルフの一連の行動は、エリザベートの反時代的な姿勢から得たところが大きかった。また彼女自身、帝国の行き詰まりを当事者として人一倍感じ取り、自由主義、ひいては共和制にすら密かに共感していた。それにもかかわらず、彼の政治的信条を彼女が受け入れるには無理があった。

というのもエリザベートの場合、結婚以来様々な軋轢や圧力に傷ついた反面、美貌の維持や気ままな生活に見られるように、皇后であるからこそ成し遂げられたことがあったからだ。また旅から旅への生活を送れるのも、ヨーロッパ全体を巻き込む大戦争が勃発せずに済んでいるためだった。それも、皇帝が要となって多民族多言語多文化の帝国を緩やかにまとめ、中央ヨーロッパの安定を図っていたためである。

逆にルドルフの考え方は、帝国崩壊による民族の独立、小国同士の争い、それに乗じた強国大国の介入……といった具合に、複雑な政治対立から大戦争を引き起こす危うさを孕んでいた。このように考えれば、ハンガリーを完全には独立させない形で誕生したオーストリア＝ハンガリー帝国もまた、オーストリアが単にハンガリーを手放したくなかった、といった単純な話でないことが分かる。安易な民族自決を防ぐことで、ハプスブルク帝国とヨーロッパ全体の平和秩序を維持する、という狙いゆえだった。

ルドルフは、『絵と文章で綴るオーストリア＝ハンガリー帝国』という二四巻からなる事典の編纂と監修、執筆に積極的に携わっている。内容は、帝国の様々な文化や習俗や歴史を記述したもので、ハプスブルク家の統治があってこそ成り立ってきた「世界」の様子が描かれている。あまりにも自由主義的な政治体制にすることは、帝国の存在、ひいては歴史を崩壊させることにつながりかねない。ルドルフは、大きなジレンマに陥っていった。

追い詰められる結婚生活

政治以外でも、ルドルフは追い詰められていく。ベルギー王女シュテファニーとの結婚である。

そもそもこの話は、フランツ＝ヨーゼフから出たものだった。ベルギー王女シャルロッテと結婚したマクシミリアンが悲惨な最期を遂げて以降、ベルギーとの密接な関係を復活させ、ハプスブルク帝国の安寧につなげるべく、フランツ＝ヨーゼフはルドルフにシュテファニーとの見合いを勧めたのである。シュテファニーがまだ一六歳で若すぎるということからエリザベートは反対だったようだが、ルドルフは自分でベルギーに足を運び、彼女との結婚を決断した。

ここにも、ルドルフの典型的な行動のあり方を見て取れる。皇太子の任務は果たしながら、父親の敷いたレールに完全に乗ることをよしとせず、自分の意志を通そうとした。

ルドルフとフランツ＝ヨーゼフとの関係はもとより、ルドルフとエリザベートの関係自体、常に緊張を孕んだものだった。というのも彼の幼少期におけるエリザベートの不在の後、ようやく彼女がルドルフを養育できるようになったのも束の間、妹マリー＝ヴァレリーが生まれたからである。エリザベートは、彼女を自分の手元で育てただけでなく溺愛し、彼女に対してだけ信頼を置くようになっていった。ルドルフとエリザベートとの間には、再び溝ができてしまう。

ルドルフがエリザベートの反対を押し切り、シュテファニーとの結婚を自ら選び取る形で実現させた背景にも、こうした親子間のわだかまりがあったと考えられる。一方、シャルロッテとの軋轢でベルギー王室に抱いていた悪感情に加え、こうした母子の事情も手伝って、エリザベートはシュテファニーに嫌悪感を露わにした。しかもエリザベートはシュテファニーより二五歳以上年上だったにもかかわらず、彼女を圧倒する美しさを具えていたため、エリザベートがそうした態度をとっても、ルドルフをはじめ誰も文句を差し挟めなかった。

シュテファニーは一八八三年に出産するが、生まれてきたのは女児だった。彼女はエリザベート＝マーリエと名付けられ、エリザベートへの敬意あるいは忖度が込められた。だが当のエリザベートにとって、そうした配慮は大した意味を持たなかったのだろう。彼女は当初、この孫に興味を抱かず、一八八五年になるとホメロスの作品やギリシア神話に没頭するようになり、オリエント大旅行を計画し始める。またそれが、アキレイオン建設への熱意へとつながっていく。

実のところ、シュテファニーには世継ぎとなる男児が期待されていた。だが難産により、これ以上出産することが危険とされたため、将来的に男児を授かる可能性はなくなってしまう。さらにシュテファニーはルドルフから性病を伝染されており、もはや出産そのものがありえない話になってしまった。

というのもルドルフには、独身時代だけでなく結婚後も様々な女性関係があり、中には娼婦も数多く含まれていたからだ。ハプスブルク家の伝統である政略結婚を自らの意志で選び取ったにもかかわらず、ルドルフはシュテファニーとの結婚生活に幸福感を覚えられなかった。世継ぎの男子を得られなかったことからも、彼にとって結婚は、単なる重荷でしかなくなっていく。

ついに彼は、性格の不一致から離婚を決意する。ところがローマ教皇に申し出たところ、カトリックでは離婚が禁じられていたため、許しを得られなかった。そうした煩悶が、一層ルドルフの娼館通いを加速させていった。

ルドルフの死

こうした状態にあったルドルフは、最後の作戦に出る。彼が嫌悪するプロイセン主導のドイツに対して大きな不信感を抱く一方、フランスやロシアとの距離を縮めようとした。そこには、自分の外交力を示そうという彼の狙いも含まれていたのだが、これが当時のフランツ=ヨーゼフとの決定的な政治対立をまねいてしまう。

フランツ=ヨーゼフとて、普墺戦争の例に見られるように、決して親プロイセンだったわけではない。だがフランスを打ち負かす形で、プロイセン主導のドイツ帝国が誕生してしまった以上、いつまでもドイツを敵視しているわけにもいかなかった。

ところがルドルフは、フランツ=ヨーゼフが元々抱いていた反プロイセンの姿勢にこだわった。それはバイエルン王だったルートヴィヒ二世とも共通するものだった。さらにフランスには、ルドルフが親しくしているクレマンソーもいた。そこでルドルフは、フランスとの強固な同盟を考え、さらにロシアにも接近するという戦略を立てた。

ルドルフの行動に、フランツ=ヨーゼフは激怒する。ルドルフは、自分に権限を与えないフランツ=ヨーゼフにいら立ちを隠せなくなる。結果ルドルフの周囲には、フランツ=ヨーゼフの政治姿勢に不満を抱く人々が集まるようになり、フランツ=ヨーゼフの暗殺計画およびルドルフの皇帝即位、というところまで話が進んでいったともいわれる。ルドルフの娼館通いも、地下組織の人間との接点を作るに十分な条件だった。

こうしてルドルフは、自らまいた種とはいえ、自らの意志の関係のないところまで、反フランツ＝ヨーゼフの筆頭に祭り上げられてしまう。またその結果、愛人のマリー・ヴェツェッラとともに、ウィーン郊外のマイアーリンクの狩猟館で、凄惨な死を遂げているところを発見される。遺書こそ存在してはいるものの、自由主義の過激派と通じてしまった彼は、フランツ＝ヨーゼフ暗殺を持ちかけられるが、そこまではできず、口封じのために偽装自殺に追いやられた、という主張もあるほどだ。

エリザベートの受けた衝撃

ルドルフの死に、エリザベートが衝撃を受けないわけがない。しかもそれは、取り乱すという以上に、さらなる不安定な状態の中に彼女が分け入っていく状況を生み出した。そうした彼女の姿を、娘のマリー＝ヴァレリーは次のように記している。

「二月一〇日。今日ママは私に、こう語った。昨日の夜、すでに寝支度をし、顔を洗い、私たち（マリー＝ヴァレリーと、婚約者のフランツ＝サルヴァトール）を見送った後、八時から九時の間にたった一人でカプツィーナー霊廟（れいびょう）（ハプスブルク家の遺骸が安置された霊廟で、ルドル

愛人マリー・ヴェツェッラ

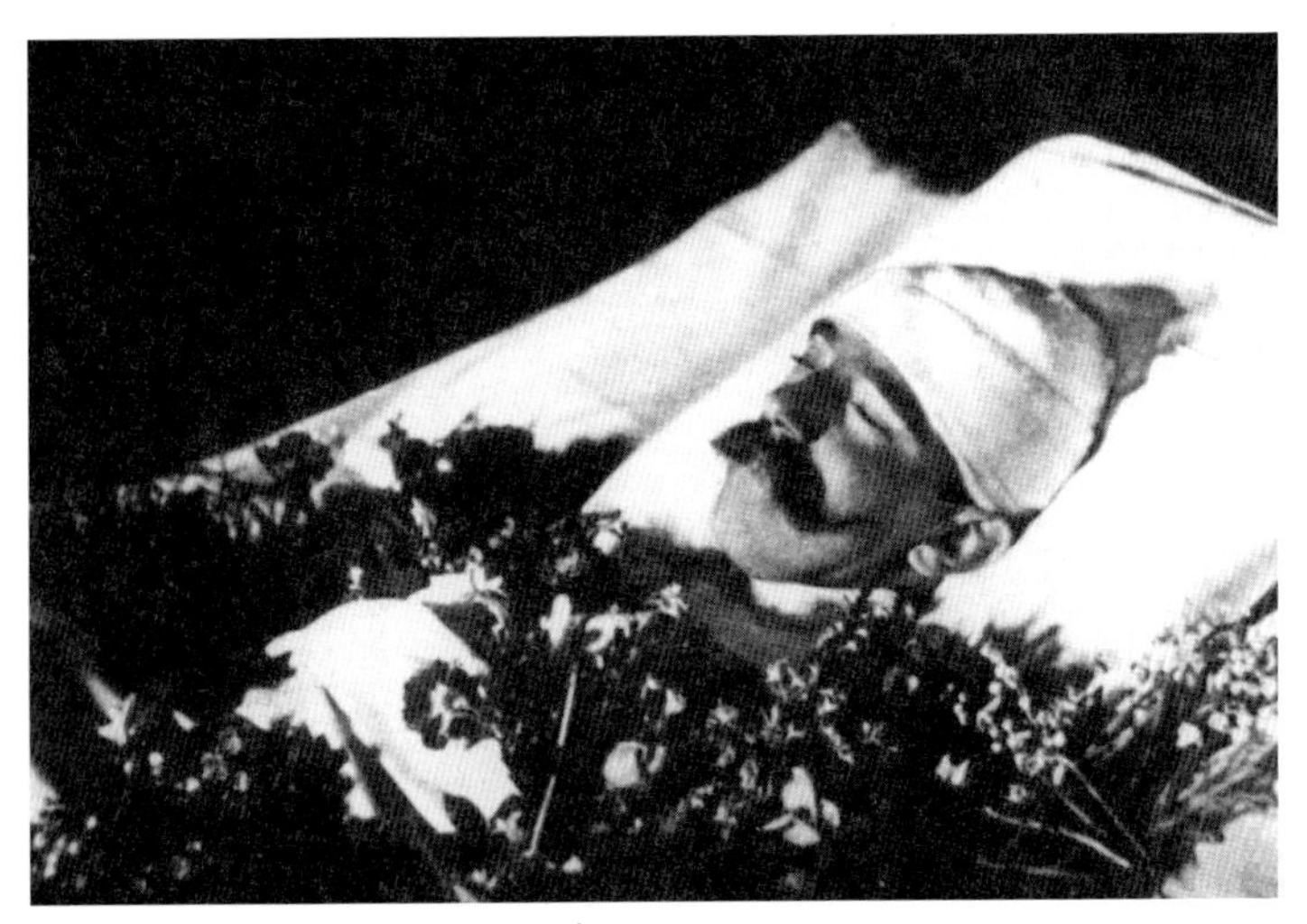

頭部への銃弾で死んだルドルフ。1889年

フも葬られた）に赴いた、と。彼女はこの霊廟が嫌いで、そこに足を運ぶ気などなかったのだが、内なる声が呼びかけるような気がしたとのこと。そして、ルドルフが彼女の前に現れ、そこに葬られることを望んでいるのかどうかを教えてくれるという希望を抱き、あえてそうした行動に出た。ママは霊廟を開けてくれた僧侶を遠ざけ、霊廟の鉄の扉を閉め、何本かの松明（たいまつ）だけに照らし出されているルドルフの棺（ひつぎ）の前に跪（ひざまず）いた。風が巻き起こり、枯れた花輪から落ちた花が、静かな足音のようにかさこそと音をたてた。そこでママは何度もあたりを見回したが、何も現れなかった。『偉大なエホヴァの神様がお許しになった時だけ、彼らは来るのです。』だがこの訪問は、ママに慰めと落ち着きをもたらしてくれた。ギーゼラと私はママに対し、私たちの場合はそんなことは絶対起こらないから、と言うと、ママはこう言った。もしも誰かを愛しているのなら、その人の前に現れたいと願っている愛する対象を救うべく、恥じらいを捨て、この世ならぬ幸せに浸るべきなのです、と」。

夜中、薄暗い霊廟で心霊現象を信じ、死んだ息子に会おうとしているエリザベート。不気味な光景ながら、何も出現しなかった現実を冷静に捉えている彼女の姿もそこにはある。また、自分がルドルフに十分なことをできなかったという冷静な反省と、せめて死後の彼に何かしたいという、理性と狂気の入り混じった姿も読み取れる。

そうした千々（ちぢ）に乱れる思いが、エリザベートをますます風変りにしていく。ルドルフの

次女ギーゼラ（左）と末娘のマリー＝ヴァレリー。1883年頃

死後、彼女はその喪に服すため黒を身にまとい続けた。だが一ヵ所で彼の霊を弔うのではなく、以前にもまして放浪から放浪の生活を激化させていった。そして、はたから見れば全く筋道のないように見える挙動を示すようになっていく。

ルドルフの死の翌年にあたる一八九〇年、最愛の娘だったマリー＝ヴァレリーが結婚したことを見とどけたエリザベートは、ポンペイ、カプリ、ナポリ、さらにコルフへと、大規模な旅を行う。一八九一年には、数年間の大工事をかけてようやくコルフ島に完成したアキレイオンに滞在するかたわら、コリントやアテネ、さらにはエジプトにまで赴いた。しかも早くも一八九三年には、あれほどまでに熱を上げたはずのアキレイオンを売却する意志を固める。一八九五年に最後の滞在を行った後、あっさりとそれを実行してしまった。

アンドラーシの失脚

ただしこうした支離滅裂さは、エリザベートにとって最後の寄る辺の喪失ともいえるルドルフの死の前から、すでに現れ始めていた。彼女にとってオーストリア＝ハンガリー帝国自体そのものが、自分の居場所ではなくなりつつあったからである。

その一因が、ルドルフ自身を追い詰める原因にもなった保守主義の台頭である。オーストリア帝国憲法発布以降、自由主義の空気は徐々に帝国内で高まり、その一つの形がオーストリア＝ハンガリー帝国の誕生につながった。だがそうした空気も、ウィーン万博開催直後の株価大暴落事件等、市民階級の台頭がもたらした社会的ひずみの中で、徐々に変化していく。

つまり、自由主義の発展を支えてきた市民階級は従来のような急成長を遂げられず、帝国の経済を崩壊させるきっかけを作った諸悪の根源と、逆に見なされるようになる。結果、自由主義そのものに対する批判が、保守派の間から強まっていった。

そうした中、プロイセン率いるドイツ帝国との和解を進めたのが、オーストリア＝ハンガリー帝国樹立の立役者であり、自由主義者の代名詞のようなアンドラーシだった。アンドラーシは一八七一年、帝国外務大臣となり、オーストリアとハンガリー双方の外相として活躍する。そして、東ヨーロッパへの覇権を狙うロシアを牽制すべく、ドイツとの同盟を強めていこうとした。

実際ハンガリーにとってロシアの脅威は深刻だった。ただし同時にその裏側で、アンドラーシはロシアの脅威を少しでも弱めるべくロシアとも部分的に和解するしたたかな策を繰り出し、一八七三年にはドイツ、ロシアと「三帝同盟」を樹立させる。また一八七七年、バルカン半島にまだ部分的に力を及ぼしていたトルコを半島から一掃すべく、ロシアがトルコ相手の戦争を始めても、それを黙認し、中立的な態度をとった。

ただし、こうした老獪な作戦は、ハンガリーの優遇を快く思わない保守派のみならず、やがては自由主義陣営からも批判を浴びることとなる。それが顕在化したのが一八七八年のこと。この年、トルコを相手にしたバルカン半島での戦争を通じて勢力を広げるロシアに対し、ドイツ帝国の首都ベルリンで、国際会議が開かれる。この会議でアンドラーシは、オーストリア＝ハンガリー帝国のバルカン半島への勢力拡大を念頭に、ボスニア＝ヘルツェゴヴィナの行政権と、セルビアとモンテネグロの回廊地帯の占領権を獲得するなど、いくつもの成果を上げた。

だがこうした決断がアンドラーシの独断で行われたため、帝国議会では、アンドラーシが議会を無視しているという批判が噴出する。それは、ハンガリー人の活躍を快く思わないドイツ系の議員からだけではなく、アンドラーシの地盤であるハンガリーの側からも上がることとなった。

こうした反対の声を前に、アンドラーシは一八七九年に外務大臣を引退する。またそれと同時に、政界からも完全に手を引いてしまう。この出来事はエリザベートにとって、もはやオーストリア＝ハンガリー帝国そのものにすら自身の存在意義がなくなるほどの喪失感をもたらした。さらにその後、ルートヴィヒ二世、そしてルドルフの死が続く。

晩年のエリザベートは、ウィーンはもとより、バート・イシュルにも、さらにあれほどまでに愛したハンガリーにも、ゲデレー宮殿を含めてほとんど寄り付かなくなってしまった。彼女が最後にハンガリーを訪れたのは、一八九六年のこと。ハンガリーの建国千年記念の祝いに際して足を運んだのが、皇后として公的な行事に出席した最後の機会となった。

「第二夫人」との奇妙な生活

アンドラーシの失脚後、オーストリア゠ハンガリー帝国の宰相となったのは、保守派のエドゥアルト・ターフェだった。彼は、封建的地主層、カトリック教会、ボヘミア人勢力からの支援を受けながら、帝国内の守旧派の保護に努めていく。ルドルフの自由主義的な発想や、離婚要請が受け入れられなかった背景にも、ターフェの存在を無視することはできない。

エリザベートにとっても、ターフェの勢力回復は受け入れられないものだった。もはやアンドラーシもおらず、ハンガリーへの軽視が行われている帝国に、皇后として関わる必然性も気力もなくなっていく。そんな折も折、エリザベートはブルク劇場の女優カタリーナ・シュラットを、いわば自身の身代わりとしてフランツ゠ヨーゼフに斡旋(あっせん)した。そして二人の関係を、自ら率先して公認した。

奇妙な関係が始まったのは、一八八五年のことである。バルカン情勢、さらに自国のスラヴ系住民への影響を鑑み、ロシアの存在を見逃せなくなったフランツ゠ヨーゼフは、モラヴィアの小都市にロシア皇帝夫妻を招き、会談を行う。きわめて重要な会談だったため、この時ばかりはエリザベートも同行した。ただし、実際にはロシアとの関係修復には漕ぎつけられなかった。しかもその反動として、皇太子ルドルフのロシアへの接近、彼とフランツ゠ヨーゼフとのいさかい、さらにルドルフの謎の死がもたらされた。

難しい状況を前に、フランツ゠ヨーゼフはハプスブルク家得意の文化力を駆使し、会談の場を和ませようと考える。そこでブルク劇場の俳優数人を帯同し、会談の余興に寸劇を行わせた。エリザベートはその場で、フランツ゠ヨーゼフがシュラットに夢中になっていることに気付く。そこで彼女は、シュラットの肖像画を宮廷画家に描かせてフランツ゠ヨーゼフの目にとまるようにしただけでなく、彼女が絵のモデルとなっているところにフランツ゠ヨーゼフが鉢合わせるよう取り計らってまで、二人の接近をお膳立てしていく。

こうして、フランツ゠ヨーゼフとシュラットの関係が始まる。シュラットは、普通であれば身分の差ゆえに簡単には出入りできない場所、つまりバート・イシュルの皇帝の別荘や、シェーンブルン宮殿にも出入りできるようになる。またエリザベート自身、シュラットに対して気を遣い、時にはフェレンツィにも彼女の手助けをさせている。一方フランツ゠ヨーゼフ自身も、エリザベートに対して包み隠さずシュラットとの生活を報告している。

カタリーナ・シュラット。1885年頃

ルドルフが謎の死を遂げた際も、シュラットが皇帝夫妻を訪ねて慰めた。

奇妙な三角関係である。愛人を皇妃自らが皇帝に紹介し、旅から旅へ明け暮れる自分の身代わりをさせる。ただしそれこそが、エリザベートにとっては一種の矜持だったのだろう。つまり、得体の知れない女にフランツ＝ヨーゼフが入れあげるのは許せないが、自分の意思の通じるところでそうした関係が展開されるのならばかまわない。

エリザベートがフランツ＝ヨーゼフの元から頻繁に離れるようになって以降、彼の周囲には再び女性の影が、折に触れて現れていた。その典型が、一八七五年以降始まった、アンナ・ナホフスキとの関係だった。彼女は市民階級の出だが、フランツ＝ヨーゼフからシェーンブルン宮殿のほど近くに住まいを与えられ、彼との間にできたと思しき子供まで出産している。ただしこの関係も、シュラットの出現によって消滅する。きわめて奇妙な夫婦関係、家族関係でありながら、エリザベートの意思が勝った。

乗馬に見るかたくななこだわり

こだわるものには、最後までかたくなにこだわり抜く。そうした姿勢は、エリザベートの乗馬への熱狂ぶりにもはっきりと見て取れる。

例えば一八七五年、エリザベートはフランスのノルマンディー地方に乗馬目的で旅を行うものの、その地で脳震盪を起こすほどの落馬事故に遭う。それでも、馬に対する恐怖心が生まれたり、乗馬への興味が失われたりすることはなかった。それどころか彼女は、一八七六年にイギリスで、「軍事演習（バー・フォース）」という名前が付いた、馬を用いた大規模な狩にも、積極的に馳せ参じたのである。

注目すべきは、一八七〇年代に入ると、わざわざ乗馬を行うためだけに、頻繁にイギリスに赴くようになったことである。エリザベートはすでに一八六〇年代初頭の転地療養の際、ヴィクトリア女王からヨットを借りていた。だが女王にようやく面会を果たしたのは、一八七四年だった。これはゾフィーの死を受け、エリザベートが皇后としての任務を遂行していた時期と重なるが、もちろん彼女の中では、皇室外交以上に乗馬が目的だった。

一八七九年の渡英では、エリザベートは皇太子のルドルフを伴って、再びヴィクトリア女王から歓待を受けている。ただし公式行事はそこそこに、やはり乗馬に精を出したほか、アイルランドへ出かけてその風景を愛でる、ということも行っている。

なおエリザベートがイギリスでの乗馬に熱中した理由として、乗馬教師だったウィリアム・ミドルトンの存在が挙げられる。ハンサムでスマートな物腰、そして厳しいながらも最高の乗馬を教えてくれるミドルトンに、エリザベートは魅了されたのだろう。彼らは親交を深め、両者の関係を疑う者も少なからずいた。

ミドルトンは一八七〇年代末に、裕福な地主の娘と結婚しようとする。だが、彼女がエリザベートとミドルトンの関係に嫉妬を覚えたため、ミドルトンはほとぼりが冷めるまで待ち、ついに一八八二年に結婚を果たすものの、エリザベートとの距離を置くようになってしまう。一方エリザベートの乗馬熱も、それを機にすっかり冷めてしまった。以後彼女は、ハードなトレーニングやフェンシング、ウォーキングに熱中していく。

こだわるものにはこだわるが、期待を裏切られるや否や、さっさと見切りをつける。それは様々な因習の中で苦しんだエリザベートが身に着けた、人生を曲がりなりにも生きていくための知恵だったのだろう。

ヘルメス・ヴィラの誤算

逆にエリザベートにとってこだわりのないものに対しては、たとえ周囲が熱心にお膳立てをしようとも、最後まで関心が生まれることはなかった。その一例が、前の章でも触れた、ウィーンのヘルメス・ヴィラである。

屋敷が誕生したきっかけは、エリザベートを少しでもウィーンにつなぎ留めておきたいという、フランツ＝ヨーゼフの切実な願いにあった。自然好きで人嫌いなエリザベートのことを考慮し、ウィーンの森の一画に構えられていた皇室の御料地が選ばれた。当時フラたかったのだろう。

こうして一八八六年、ヘルメス・ヴィラは完成される。なお、この「ヴィラ（文字通りの「別荘」）」が「ヘルメス・ヴィラ」と呼ばれている理由は、ギリシア神話に登場するヘルメスという高貴な神の像が、館の正面に据えられているためだ。古代ギリシアやギリシア神話に熱中していたエリザベートの気をひこうという、フランツ＝ヨーゼフの狙いが見て取れる。

館の二階部分は、これまたエリザベート好みのシェイクスピアの『真夏の夜の夢』をモチーフとした内装である。人間と妖精が戯れる、つまり現実世界と非現実世界の境界が溶解していくシェイクスピア独特の世界。それは、ロマン派にも大きな影響を与えたものであり、まさしくそれはエリザベートの「ロマン派への共鳴」にも通じるものであった。

ただし、莫大な工事費用と時間が費やされた割に、エリザベートがこの館にとどまること自体、きわめて少なかった。ウィーン郊外に位置していたとはいえ、彼女の中にはウィーンへの拒否感が大きかったのだろう。またこの頃には、アンドラーシの失脚等を通じ、オーストリア＝ハンガリー帝国全体に対する関心も薄らいでしまっていた。

この建物には、エリザベートのための厩舎も造られた。だが一八八二年以降、彼女は乗馬を一切やめていたため、ここでもフランツ＝ヨーゼフの狙いは外れた。

否定の上に成り立つ「私」？

通常「こだわり」とは、「私」が何かを望み、何かを実現させる際に発揮される。だがエリザベートの特に晩年の姿を見る限り、何かをしたくないために何かをする、という傾向が強まっている。フランツ＝ヨーゼフとウィーンにはいたくないために、シュラットをあてがう。もはや乗馬をしたくないがゆえに、過酷なフェンシングやトレーニング、ウォーキングに没頭していく。

そこにあるのは、「私」の存在を強固にし、それを際立たせるための「自己実現」ではない。「私」を護るために何かにすがるという、積極的な「自己防衛」でもない。

エリザベートにとって最大の「私」の武器であった美は、今や完全に衰えていた。また、ルートヴィヒ二世やルドルフ、あるいはアンドラーシやミドルトンといった、エリザベートにとっての「避難所」も、次々と彼女の前から姿を消していった。世紀転換期の若者たちのように、「私」が「私」でなくなる認識を積極的に打ち立てることも無理だった。結果、エリザベートは全てを否定し続けていくことの中にしか、生きられなくなっていく。

乗馬をやめて以降のエリザベートは、何ものからも逃れるかのように、どのような天候をもいとわず、過酷なウォーキングを展開する。それには、お供のものも男女を問わず、付いていくのが精いっぱいだった。エリザベートは、そんな自分の腹心、さらには分身ともいえる彼らですらも振り払うかのように、猛スピードで歩き続けた。

そのスピードは、エリザベートが好んで用いた、鉄道や蒸気船というきわめて新しい交通手段を彷彿させる。ただしこれらの交通手段が、「私」の自己実現を望む近代市民社会の産物だったことを考える時、鉄道や蒸気船を用いた晩年の彼女は、もはや「私」を実現させるどころか、「私」からも逃れようとしていた。それもこれも、やはり皇后という「公」の立場上、あるいは特権階級ゆえの誘惑を断ち切れず、お召列車やお召汽船という特別な移動手段に頼り続けたせいか。

エリザベートにとっての「私」は、ますます揺らいでいた。しかも衆人の注目を避けるべく、私的な旅行の際には偽名まで使ったため、本人にとっても「私」はどこまで本当の「私」なのか、分からなくなっていったのだろう。

またエリザベートは、当時合法だったモルヒネを自らの精神安定のために常用するようになる。それは少なくとも、カトリックでは厳禁の自殺を防ぐために役立ったかもしれない。だがそれを用いたところで、「私」の根幹を成す美貌も、また自分に近しい人間が戻ることもなく、ましてや「私」が「私」でなくなるそうした状況を逆手にとって生きてい

旅の装備の薬箱に入れたモルヒネ注射器。当時は一般に医薬品として使われていた

く行動力を得られるわけでもなかった。

自分という存在が生きながらにして消えていく……。そうした状況の中で、エリザベートはルドルフの遺児であるエリザベート＝マーリエに、自らの大事にしていた装飾品を贈る。それは、かのヴィンターハルターの肖像画にも描かれていた、ダイヤモンドをあしらった星形の髪飾りだった。それは、亡きルドルフに対するせめてもの贖罪のしるしだったのか。あるいは、一種の身辺整理だったのか。

危ういバランスの中での死

エリザベートが晩年昂進していった危うさは、安定を欠きながら、危ういバランスの上に辛うじて成り立っていた当時のハプスブルク帝国と奇妙な符号を見せる。そしてこの危ういバランスの中に、彼女は一八九八年九月一〇日、ジュネーヴで暗殺の日を迎える。

暗殺自体も、エリザベートにとっては、「私」を求めようにもどうしようもできない「私」から、その呪縛を解いてくれる格好の機会を与えてくれるものだったろう。しかも犯人のルイージ・ルケーニは、世の中に漠然とした不満を持ち、有名な権力者であれば誰を殺してもよいというアナーキストである。そんな彼がたまたま目にしたのがエリザベートであり、彼女に対する何らかの明確な殺意があったわけではなかった。またそのように、明確な「私」の意志などないという意味合いにおいて、エリザベートとルケーニは、ある意味の同士であり、共犯者だった。

ただし、もはや数十年前の顔しか公式には知られていなかったエリザベートを、ルケーニはどのようにして認識できたのか。もちろん彼女がジュネーヴにお忍びで宿泊しているという情報をルケーニが握っており、実際それらしい女性が彼の前に姿を現したということはあろう。またいくら老いたとはいえ、エリザベートの中に若き日の美貌が残っていたということも考えられよう。だがそれ以上に、もはや「私」が「私」でなくなったエリザベートの実態を、これまた自己肯定感を得られない人生を送る中でアナーキストの道に入らざるを得なかったルケーニが、密かにかぎ取ったからではないか。

では「私」が「私」でなくなるという実態を前に、「私」と時に対立し、場合によっては「私」を潰しにかかる「公」はどうなったのか。実のところ、「公」が勝利を収めたわけではない。一例が、エリザベートの晩年にも巷に出続けた、フランツ＝ヨーゼフとエリザベートの双方を捉えた絵や写真である。そこでは、「公」にとどまったフランツ＝ヨーゼフは徐々に歳をとっていったものの、エリザベートは三〇代最初の若い表情のままであり続けた。結果、それは夫婦というよりも親子のような様相を呈することとなっていく。現実にはありえない夫婦像と、実体を欠いた「美貌」の伝説に包まれた皇妃のイメージの

暗殺される1週間前のエリザベート(左)と女官スターライ。1898年

みが跋扈し、それでも一応のところ彼らを頂点にハプスブルク帝国は維持される。ただしそうした帝国に、もはや「公」の持つ権威や迫力はなかった。

エリザベートの暗殺後、帝国の人々の悲しみは、公の場から消えて久しい彼女に対してよりも、次々と身内の不幸に見舞われるフランツ＝ヨーゼフに向けられた。またフランツ＝ヨーゼフ自身、そうした人心を巧みに読み取り、自らへの同情以上に、エリザベートに対する追悼の動きを作り出した感がある。だがそうした作戦も、ハプスブルク帝国そのものの危機を根本的に解決することにはならなかった。

エリザベートの死から二〇年後の一九一八年、第一次世界大戦での敗北をきっかけにハプスブルク帝国は崩壊する。その二年前には、帝国にとって「最後のよりどころ」であったフランツ＝ヨーゼフも、皇帝即位七〇周年目前で世を去っていた。今や過去のものとなった古い世界は消え、黄昏の帝国を生きた皇妃エリザベートの美貌の伝説だけが残った。

おわりに

エリザベートの没後一〇〇年にあたる一九九八年のこと。ウィーンの製菓会社から、新商品のチョコレートが登場した。「シシィ・ターラー」なるもので、大ぶりのコイン形のチョコレートの表面にエリザベートの顔があしらわれ、中にはアンズのムースが入っている。オーストリアを代表するチョコレートといえば、モーツァルトの名前を冠したものが有名だが、それに匹敵する新たな名物を作ろうという商魂の逞しさのなせる業だった。

エリザベートといえば、本文でも触れたようにスミレの花の砂糖漬けが好物だった話は有名だ。にもかかわらず、なぜあえてアンズのムースなのか。

そんなことをつらつら考えていた時、はたと思い当たった。エリザベートが公私にわたって愛したハンガリーは、アンズの名産国として有名だ。しかも、モーツァルト・チョコレートの場合は、ピスタチオを使った緑色のムースが中に入っているのとは対照的に、アンズの色は、皇妃という華やかな立場にあったエリザベートにふさわしい。

ただしもちろん、エリザベート自身がこのようなチョコレートを考案したわけではない。つまりあくまでも、彼女のイメージにふさわしい商品が作られただけ。では、イメージとは異なるエリザベートの実像に迫ることは可能かといえば、答えはノーである。彼女がしたためた手紙や詩は一部しか公開されておらず、破棄されてしまったものも多いからだ。そうした状況があるにもかかわらず、エリザベートに関する本は、日本で出版されただけでもゴマンと存在する。またそれらの中には、一般的に流布したイメージから可能なかぎり彼女を解き放ち、真実の姿に迫ろうとしたものも見受けられる。というわけで、エリザベートについて新たな切り口から語るのはきわめて難しい。

だが、普段であれば尻込みしそうな作業に挑戦したのも、社会や文化を背景としてエリザベートを捉え直してみたい、という思いがあったため。その機会を与えてくださり、本の完成まで忍耐強くリードして下さった創元社の濱下かな子さんに、心から感謝したい。

今日の世界問題にも直結する、複雑をきわめるヨーロッパに生きたエリザベート。生きづらさを抱える現代社会にも直結するような、「私」をめぐる悩みを抱え続けたエリザベート。そんな彼女の姿を、少しでも浮かび上がらせることができたのであれば嬉しい。

（なお、ドイツ語の表記では「エリーザベト」となるが、日本での慣例に従い、この本でも「エリザベート」とした。また詩や回想に関しては、筆者が直接翻訳を行った）。

小宮正安

主要参考文献

岩崎周一著、『ハプスブルク帝国』、講談社現代新書、二〇一七年

上村敏郎『歴史の中のシシィ／エリーザベト』（獨協大学オープンカレッジ特別講座『オーストリア皇妃エリーザベト―歴史・映画・演劇の中の虚像と実像』二〇二二年八月六日）

川成洋、菊池良生、佐竹謙一編集、『ハプスブルク事典』、丸善出版、二〇二三年

ジャン・デ・カール著、三保元訳、『麗しの皇妃エリザベト　オーストリア帝国の黄昏』、中公文庫、一九九〇年

ブリギッテ・ハーマン著、中村康之訳、『エリザベート　美しき皇妃の伝説』上下巻、朝日文庫、二〇〇五年

CHRISTMANOS, Constantin, *Tagebuchblätter, Erinnerungen des Hauslehrers von Kaiserin Elisabeth,* Czernin (Wien), 2007.

CORTI, Egon Caesar Conte, *Elisabeth. Die seltsame Frau,* Styria (Wien), 1996.

ETZLSTORFER, Hannes, *Kaiserin Elisabeth: "Wäre Sie so gut wie schön, dann wäre es leicht"*, Kral (Wien), 2021.

Die Museen der Stadt Wien (Hg.), *Kaiserin Elisabeth, Keine Thränen wird man weinen,* Die Museen der Stadt Wien (Wien), 1999.

EHRLICH, Anna, BAUER, Christa, *Erzherzogin Sophie, Die starke Frau am Wiener Hof. Franz Josephs Mutter, Sisis Schwiegermutter,* Amalthea (Wien), 2016.

HALLER, Martin, *Sisi, Die Kaiserin im Sattel,* Morawa (Wien), 2018.

HAMANN, Brigitte (Hg.), *Kaiserin Elisabeth. Das poetische Tagebuch* (6.Edition), Verlag der österreichischen Akademie der Wissenschaften (Wien), 1997.

LICHTSCHEIDL, Olivia, *Sisi auf Korfu. Die Kaiserin und das Achilleion,* Schloss Schönbrunn (Wien), 2012

MEYER, Beatrix, *Kaiserin Elisabeth und ihr Ungarn,* Allitera (Neuhausen), 2019

MEYER, Beatrix (Hg.), *Kaiserin Elisabeth ganz privat, Briefe an ihre intimste Vertraute Ida Ferency,* Allitera (München), 2020.

MUSTAPIC, Maria, *Sex, Drugs und Rock'n'Roll im habsburgischen Wien*, Kral (Wien), 2022.

PETSCHAR, Hans (Hg.), *Der ewige Kaiser, Franz Joseph I. 1830-1916*, Amalthea (Wien), 2016.

REDWITZ, Marie von, *Hofchronik, Erinnerungen einer Hofdame,* Selbstverlag, 2020

SCHAD, Martha, SCHAD, Horst (Hg.), *Das Tagebuch der Lieblingstochter von Kaiserin Elisabeth 1878–1899,* Piper (München), 2006.

SEPP. Christian, *Ludovika. Sisis Mutter und ihr Jahrhundert*, August Dreesbach (München), 2019.

SZTARAY Imra Gräfin, *Aus den letzten Jahren der Kaiserin Elisabeth,* Jazzbee (Altenmünster), 2022.

UNTERREINER, Katrin, *Habsburgs verschollene Schätze, Das geheime Vermögen des Kaiserhauses*, Carl Ueberreuter (Wien), 2020.

UNTERREINER, Katrin, *"Oh, wie schön Sie ist!", Sisi, Kleider einer Kaiserin,* Carl Ueberreuter (Wien), 2022.

UNTERREINER, Katrin, *Sisi, Mythos und Wahrheit,* Brandstätter (Wien), 2015.

WALTERSKIRCHEN, Gudula , MEYER, Beatrix (Hg.), *Das Tagebuch der Gräfin Marie Festetics, Kaiserin Elisabeths intimste Freundin,* Residenz (Wien), 2014.

WALLERSEE-LARISCH, Marie Louise von, *Meine Vergangenheit, Kaiserin Elisabeth und ich,* Selbstverlag, 2016.

WINKELHOFER, Martina, *Sisis Weg, Vom Mädchen zur Frau, Kaiserin Elisabeths erste Jahre am Wiener Hof,* Piper (München), 2022.

写真提供

アフロ、akg-images/アフロ、brandstaetter/アフロ、picture alliance/アフロ

●著者紹介

小宮正安（こみや まさやす）

ヨーロッパ文化史・ドイツ文学研究家。秋田大学准教授を経て、横浜国立大学（大学院都市イノベーション研究院・都市科学部）教授。著書訳書に、『チャールズ・バーニー音楽見聞録〈ドイツ篇〉』『音楽史影の仕掛人』『オーケストラの文明史 ヨーロッパ三千年の夢』（春秋社）、『コンスタンツェ・モーツァルト「悪妻」伝説の虚実』（講談社選書メチエ）、『モーツァルトを「造った」男 ケッヘルと同時代のウィーン』『ハプスブルク家の宮殿』（講談社現代新書）、『ウィーン楽友協会 二〇〇年の輝き（オットー・ビーバ、イングリード・フックス著）』『愉悦の蒐集 ヴンダーカンマーの謎』『オペラ楽園紀行』（集英社新書）、『ヨハン・シュトラウス ワルツ王と落日のウィーン』など多数。ザルツブルクのモーツァルテウム、ウィーン大学における講演や、NHKテレビ・ラジオ『ウィーンフィル・ニューイヤーコンサート』のコメンテーター、『東京・春・音楽祭』マラソンコンサートの企画構成解説など、国内外の様々な場で積極的な活動を展開している。

姫君の世界史
エリザベートと黄昏（たそがれ）のハプスブルク帝国（ていこく）

二〇二三年七月三〇日 第一版第一刷発行

著　者　小宮正安

発行者　矢部敬一

発行所　株式会社 創元社

〈本　社〉〒五四一-〇〇四七 大阪市中央区淡路町四-三-六
電話（〇六）六二三一-九〇一〇㈹

〈東京支店〉〒一〇一-〇〇五一 東京都千代田区神田神保町一-二
田辺ビル
電話（〇三）六八一一-〇六六二㈹

〈ホームページ〉https://www.sogensha.co.jp/

印　刷　東京印書館

ブックデザイン　川添英昭

地　図　尾黒ケンジ

組　版　一條麻耶子

©2023 Masayasu Komiya Printed in Japan
ISBN978-4-422-21546-4 C0322